MINECRAFT

MOJANG

Pour l'édition originale
Textes écrits par Stephanie Milton
avec l'aide de Paul Soares Jr et Jordan Maron
Mis en page par Andrea Philpots et Joe Bolder
Illustrations de Joe Bolder, James Burlinson, Steffan Glynn,
Paul Soares Jr et Jordan Maron
Fabrication de Louis Harvey et Caroline Hancock
Remerciements particuliers à Lydia Winters, Owen Hill et Junkboy
Remerciements à l'équipe de test de Minecraft : Laurids Binderup et Sam Foxall

MOJANG

MIX
Paper from responsible sources
FSC® C018306

Pour l'édition française
Traduction : Alain Bories
Révision de la traduction et compléments de traduction : Alexandre Fil
Mise en page et relecture : IndoLogic Pvt. Ltd. (Pondichéry, Inde)
Responsable éditorial : Thomas Dartige – Suivi d'édition : Éric Pierrat
Correction : Emmanuel de Saint-Martin
Remerciements pour leur relecture : Jules Vincent,
Badr Bouchabchoub, Sacha Malaterre, Cosmo Blanchet et Tom Gallieri-Berne.

Avertissement aux parents à propos d'Internet : toutes les adresses de sites Internet données dans ce livre sont correctes au moment où nous imprimons. Gallimard Jeunesse vérifie et met à jour régulièrement les liens sélectionnés ; leur contenu peut cependant changer. Gallimard Jeunesse ne peut être tenu pour responsable que du contenu de son propre site et non de celui des sites tiers qui peut changer à tout moment. Nous recommandons que les enfants utilisent Internet en présence d'un adulte, ne fréquentent pas les *tchats* et utilisent un ordinateur équipé d'un filtre pour éviter les sites non recommandables.

Avertissement aux enfants à propos d'Internet : Demandez toujours la permission à un adulte avant de vous connecter au réseau Internet. • Ne donnez jamais d'informations sur vous. • Ne donnez jamais rendez-vous à quelqu'un que vous avez rencontré sur Internet. • Si un site vous demande de vous inscrire avec votre nom et votre adresse e-mail, demandez d'abord la permission à un adulte. • Ne répondez jamais aux messages d'un inconnu, parlez-en à un adulte.

Édition originale parue sous le titre : *Minecraft Beginner's handbook*
publiée au Royaume-Uni en 2013 par Egmont UK Limited
Cette nouvelle édition originale parue sous le titre : *Minecraft Beginner's handbook*
publiée au Royaume-Uni en 2015 par Egmont UK Limited

ISBN : 978-2-07-066599-0

Dépôt légal : juin 2015
N° d'édition : 280752
Loi n° 49-956 du 16 juillet 1949
sur les publications destinées à la jeunesse.

Imprimé et relié en Italie
par Rotolito Lombarda S.p.A.

MINECRAFT

MOJANG

LE GUIDE OFFICIEL
POUR BIEN DÉBUTER

SOMMAIRE

INTRODUCTION

Tu viens d'ouvrir *Le guide officiel pour bien débuter* Minecraft! Il contient tout ce qu'il te faut savoir pour survivre les tout premiers jours. Il est plein de conseils du créateur de Minecraft, Notch, du développeur Jeb ainsi que d'autres experts reconnus dont Paul Soares Jr – auteur d'une série de tutoriels sur YouTube, intitulés *Survive and Thrive*, et CaptainSparklez, connu aussi sur YouTube comme le créateur d'une vidéo musicale, *Minecraft Style*. Grâce à ce livre, tu vas devenir un as de Minecraft toi aussi!

Minecraft est un jeu vidéo de type «bac à sable» sans règles ni scénario précis, permettant de construire presque tout ce que tu peux imaginer. Tu vas d'abord découvrir la carte, c'est-à-dire l'espace tridimensionnel dans lequel tu vas jouer. Il existe différents biomes (des régions aux caractéristiques spécifiques) qui sont : les marais, la montagne, la taïga, le désert, la forêt, la plaine, la jungle, la toundra, l'océan et même un biome rare où ne poussent que des champignons, les îles champignons.

À partir de ce monde, tu peux t'enfoncer dans le Nether – paysage sombre où ruisselle la lave – et dans l'Ender – paysage de pierre blanchâtre parsemé de colonnes d'obsidienne et habité par le dragon! Il y a aussi des trophées – des objectifs à atteindre – qui aident les joueurs débutants et permettent de progresser. Tu peux jouer seul ou avec d'autres. Tu peux choisir la tranquillité avec le mode créatif – tu es alors invincible, tu voles et tu disposes de ressources illimitées – ou une vie plus dangereuse avec le mode survie qui t'oblige à chasser, à creuser des mines et à combattre les monstres nocturnes.

Quel type d'aventure vas-tu choisir?
À toi de voir!

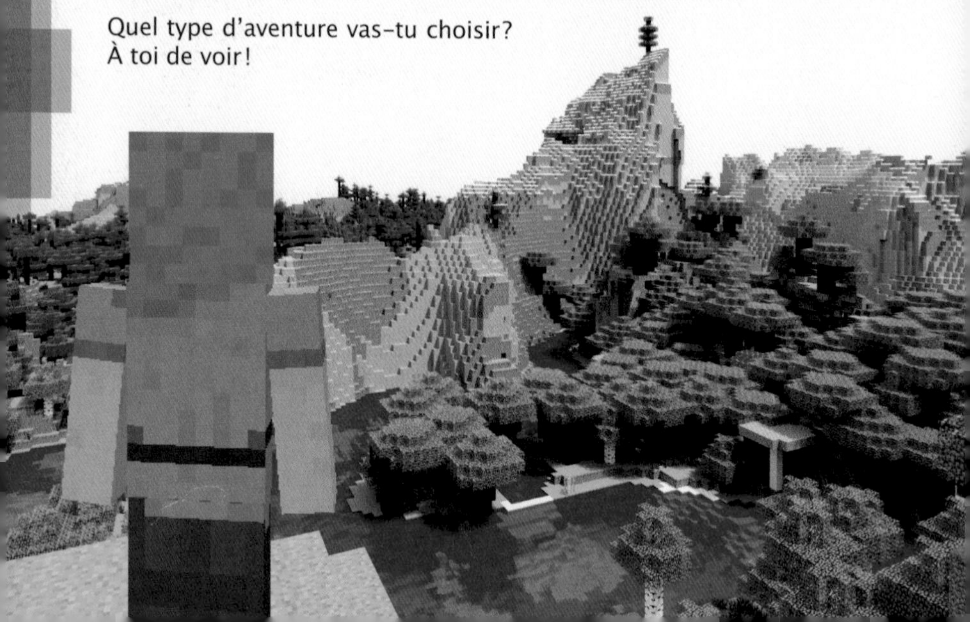

PROFIL : NOTCH

NOM : Markus Alexej Persson
RÔLE : créateur de Minecraft, cofondateur de Mojang

Né à Stockholm, en Suède, en 1979. Commence à programmer des jeux à sept ans, et livre son premier jeu à huit ans ! Après avoir créé Minecraft, il participe à la création de Mojang pour développer le jeu. Notch a plus de 1 940 000 suiveurs sur Twitter. Il a confié le développement de Minecraft à Jens Bergensten avant que Mojang soit racheté par Microsoft.

PROFIL : JEB

NOM : Jens Bergensten
RÔLE : développeur de Minecraft

Né en Suède en 1979, il a remplacé Notch en 2012 à la tête du développement de Minecraft. Il a actuellement plus de 1 220 000 suiveurs sur Twitter. Il est surtout connu pour la mise au point des répéteurs de redstone, des loups, des araignées grimpantes et des pistons.

ASTUCE : LA SÉCURITÉ EN LIGNE

Jouer sur un serveur Minecraft en mode multijoueur est génial ! Voici quelques conseils de sécurité pour que, dans ce cas, Minecraft reste un jeu convivial et sûr :

- Ne donne jamais ton vrai nom, choisis un pseudonyme.
- Ne communique aucune donnée personnelle.
- Ne révèle à personne ton école ni ton âge.
- Ne révèle à personne ton mot de passe sauf à tes parents.

L'HISTOIRE DE MINECRAFT

2009

MAI : Pour travailler à plein temps sur son idée de jeu, Notch quitte son emploi. Il baptise d'abord son jeu Cave Game puis, pour sa première version publique, Minecraft. Il enregistre alors ses premières commandes et ouvre le forum officiel de Minecraft.

DÉCEMBRE : Minecraft arrive au niveau développement. Notch fait de nombreux ajouts, dont la fabrication d'outils.

2010

JANVIER : 100 000 joueurs enregistrés !

JUIN : Minecraft atteint le niveau Alpha. Le mode Survie est toujours le seul disponible mais les mises à jour se précipitent. 200 000 joueurs enregistrés.

AOÛT : Le premier MineCon rassemble 50 fans dans l'État de Washington.

DÉCEMBRE : Minecraft est nommé jeu de l'année Indie par IndieDB. Sortie de Minecraft Bêta. Ajout du lancer d'œufs et de textes d'accueil aléatoires sur la page du menu principal.

2011

MARS : Minecraft décroche les GDC Award du Meilleur premier jeu, du Meilleur jeu téléchargeable et du Jeu le plus innovant.

JUILLET : 10 millions de joueurs enregistrés.

OCTOBRE : Sortie de la version mobile de Minecraft pour Android.

NOVEMBRE : Le MineCon attire près de 5 000 visiteurs à Las Vegas pour la sortie de Minecraft 1.0.0 : fin de la version Bêta. Les nouveautés : l'Ender, le dragon, les champignons et les villageois.

L'HISTOIRE DE MINECRAFT ... (SUITE)

2012

MARS : La version 1.2.1 de Minecraft est lancée. Parmi les ajouts on trouve le biome jungle, les ocelots, les chats et les golems de fer.

MAI : Minecraft sort sur Xbox 360. 400 000 exemplaires du jeu sont vendus dans les premières 24 heures.

NOVEMBRE : Le MineCon a lieu à Disneyland Paris. Il accueille 6 500 participants.

DÉCEMBRE : Il se vend 453 000 exemplaires du jeu Minecraft, toutes plateformes confondues, pendant la période de Noël.

2013

JANVIER : Les ventes de Minecraft atteignent 20 millions d'unités sur PC/Mac, Xbox 360 et les smartphones.

MARS : La version 1.5 de Minecraft (« La mise à jour de la redstone ») est lancée. Les nouveaux ajouts incluent des blocs liés à la redstone comme les rails déclencheurs, les blocs de redstone, les capteurs de lumière, les comparateurs, les coffres piégés et les plaques de pression, ainsi que le quartz du Nether et les blocs associés.

AVRIL : Les versions Pocket et PC/Mac de Minecraft ont chacune été vendues à plus de 10 millions d'exemplaires.

JUILLET : La version 1.6 de Minecraft (« La mise à jour du cheval ») est lancée. Nouveaux ajouts : chevaux, ânes, chevaux squelettes et zombies, armures pour chevaux, bottes de foin, tapis et blocs d'argile durcie et colorée.

OCTOBRE : La version 1.7.2 de Minecraft (« La mise à jour qui a changé le monde ») est lancée. Elle inclut de nouveaux biomes, blocs et diverses espèces de poissons.

DÉCEMBRE : Minecraft pour PlayStation 3 est lancée.

2014

JUIN : Les ventes de l'édition console dépassent celles de la version PC/Mac. Toutes plateformes comprises, 54 millions d'exemplaires ont été vendus.

AOÛT : La version 1.8 de Minecraft («La généreuse mise à jour») est lancée. Les nouveaux ajouts incluent la diorite, l'andésite, le granit, les bannières, les blocs de slime et de barrière invisible, les monuments des océans que l'on trouve au fond de ceux-ci, les lapins et des changements au système d'enchantement.

SEPTEMBRE : Mojang est racheté par Microsoft. Les versions Xbox One et PlayStation 4 de Minecraft sont lancées.

PLATEFORMES

Minecraft est disponible sur de nombreuses plateformes. Tu peux jouer sur ordinateur (PC ou Mac), sur les consoles Xbox et PlayStation ou sur smartphones. Le jeu présente des différences d'un appareil à l'autre.

MODES

Tu peux jouer seul ou demander à un ami de te montrer le mode « Multijoueur ». Dans cet ouvrage, on a supposé que tu commenceras par jouer seul.

MODE CRÉATIF, MODE SURVIE OU MODE HARDCORE?

Tu dois ensuite choisir un des modes suivants.

En **mode « Créatif »**, pas de monstres qui t'attaquent. Tu peux voler et ton inventaire contient toutes les ressources à volonté. C'est parfait pour entreprendre les constructions les plus éblouissantes, sans crainte de te faire exploser par un creeper toutes les 5 minutes.

En **mode « Survie »**, tu connaîtras les joies des combats contre les monstres. Tu as le choix du niveau de difficulté. Au début, tu préféreras commencer par le niveau normal, mais tu peux aussi choisir paisible, facile ou difficile.

En **mode « Hardcore »** le niveau est tout le temps difficile et tu n'as qu'une seule vie. À toi de voir !

NIVEAUX

En jouant, tu accumules des points d'expérience, qui te font changer de niveau. La barre verte montre ton niveau et indique ce qui te sépare du niveau suivant. En ramassant des globes d'expérience tu gagnes des points d'expérience. Ils apparaissent quand tu mines des blocs de charbon, de diamant, en fabriquant des objets ou en tuant des monstres.

À SAVOIR : il faut 17 points d'expérience pour gravir chacun des 16 premiers niveaux. À partir du niveau 17, le nombre de points à acquérir à chaque niveau augmente, ce qui rend ta progression plus difficile.

ASTUCE : tes points d'expérience sont utiles pour enchanter tes armes, armures et outils : ils deviendront magiques. Leurs caractéristiques s'amélioreront en échange du nombre de niveaux échangés, qui constituent donc une sorte de paiement.

LES CONTRÔLES

LES CONTRÔLES SUR PC OU MAC

Contrôles

Bouton 1	Attaquer/détruire	Bouton 2	Utiliser un objet
W	Avancer	A	Aller à gauche
S	Reculer	D	Aller à droite
ESPACE	Sauter	LSHIFT	S'accroupir
Q	Jeter un objet	E	Inventaire
T	Ouvrir le tchat	TAB	Liste des joueurs
Bouton 3	Choisir le bloc	SLASH	Entrer une commande

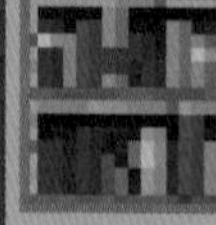

À SAVOIR : il existe un mode 3D ! Va sur Options, Options graphiques et clique sur 3D Anaglyphe. Il te faut juste avoir une paire de lunettes 3D.

ASTUCE : si tu tombes de haut, tu meurs ! Garde enfoncée la touche Shift quand tu es au bord d'un à-pic : ça t'empêchera de tomber.

COMMANDES DE L'ÉDITION POCKET

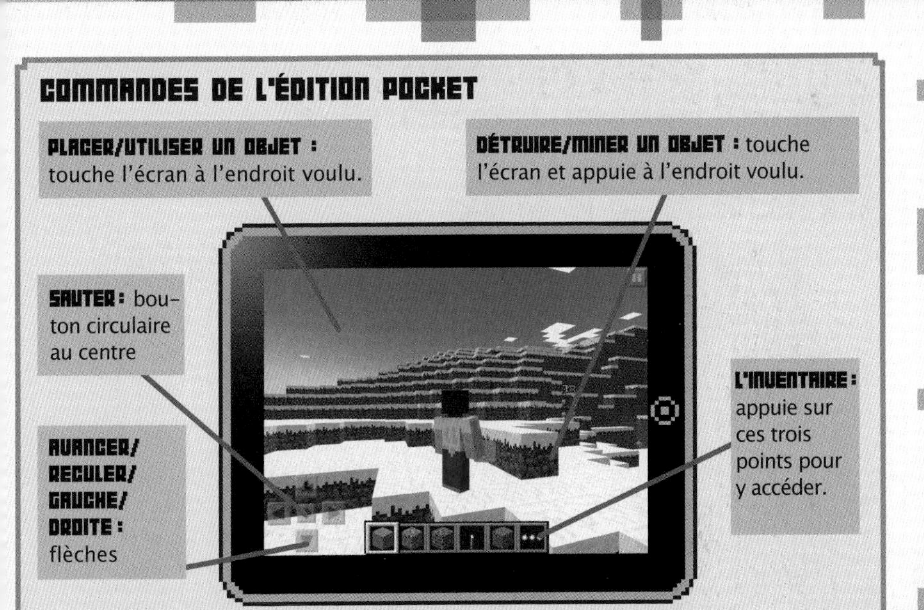

COMMANDES SUR LA PLAYSTATION VITA

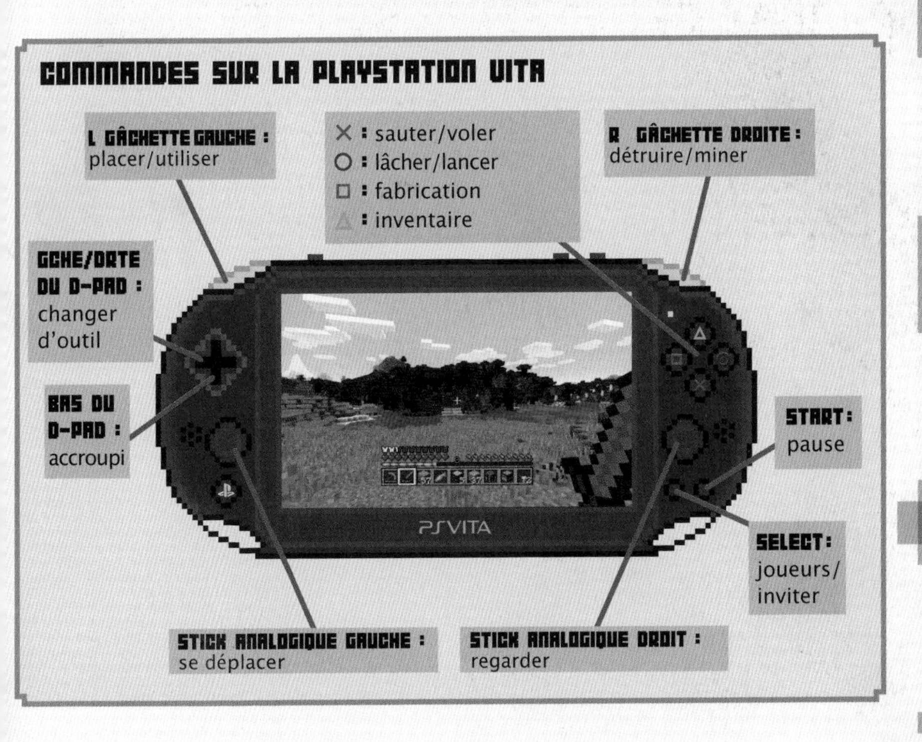

LES CONTRÔLES... (SUITE)

LA MANETTE DE LA XBOX ONE POUR MINECRAFT

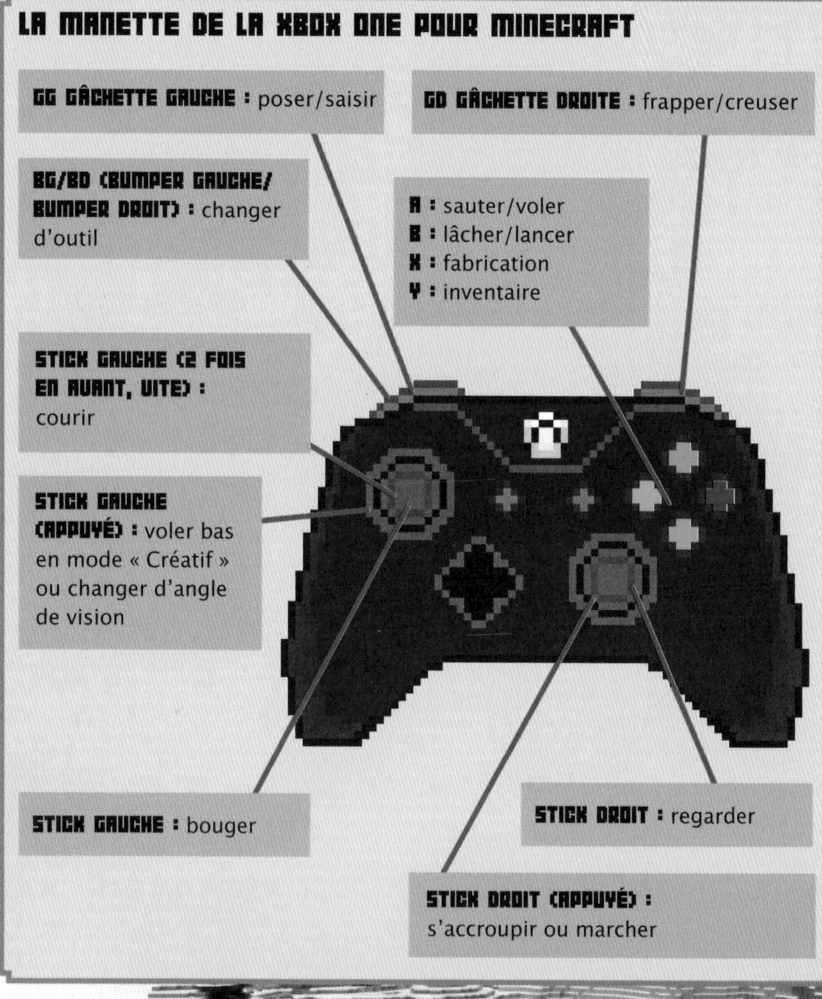

COMMANDES SUR LA PLAYSTATION 4

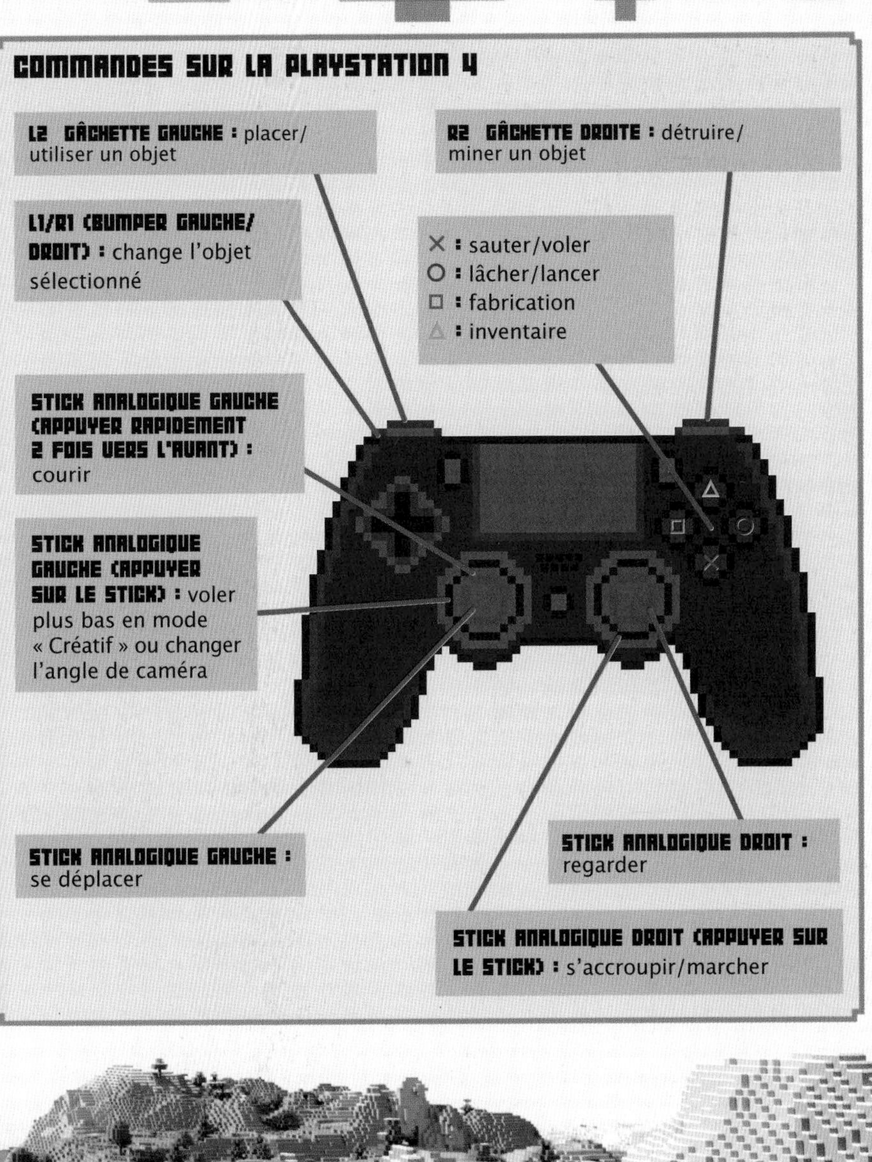

L'INVENTAIRE

L'inventaire est l'endroit où est stocké tout ce que tu as ramassé ou creusé. Tu peux ouvrir l'inventaire n'importe quand. Voir p. 14 à 17 pour savoir comment l'ouvrir.

GRILLE DE FABRICATION

Place tes ressources selon un patron précis dans la grille.

CARRÉ DE RÉSULTAT

L'objet que tu as fabriqué apparaît ici.

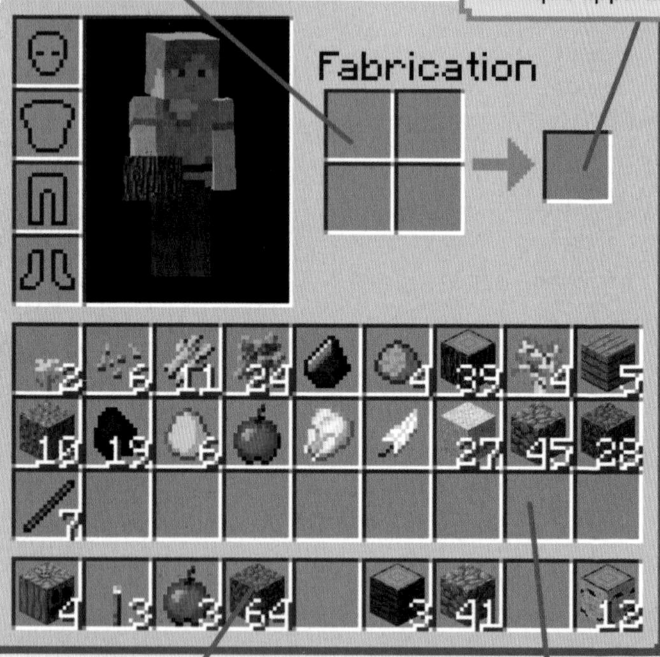

BARRE D'INVENTAIRE RAPIDE

C'est la barre qui apparaît en bas de l'écran quand tu joues.

INVENTAIRE

Tu peux stocker ici 27 articles différents à 64 exemplaires chacun.

À SAVOIR : la fabrication est plus délicate sur PC et sur Mac que sur les consoles ou l'édition mobile. Ces dernières te disent ce que tu peux fabriquer avec les ressources dont tu disposes. Sur PC ou sur Mac, tu dois le deviner.

Quand tu fermes ton inventaire, une rangée de neuf carrés apparaît en bas de ton écran. C'est ta barre d'inventaire rapide, où tu places les objets dont tu te sers le plus souvent.

Pour placer un objet dans ta barre d'inventaire rapide, déplace-le du haut de l'inventaire vers un carré de la barre en bas (voir p. 18). Si tu cliques sur un objet de cette barre, il apparaît dans ta main en bas à droite de l'écran.

ASTUCE : si tu places dans ta barre d'inventaire rapide les bons objets, cela peut te sauver la vie car tout se joue parfois très vite : mets-y au moins une arme et un aliment pour te défendre ou t'alimenter d'urgence.

LE MODE SURVIE :
LE PREMIER JOUR

Quand tu commences une partie, le jour se lève sur un environnement créé de façon aléatoire. Regarde autour de toi et évalue tes ressources.

Si tu as de la chance, tu y trouves des arbres, des collines, de l'eau et des animaux qui peuvent t'être utiles. Si, au contraire, tu es sur une île déserte au milieu de l'océan, tu es mal parti!

Y a-t-il des arbres, des collines, de l'eau et des animaux? Tout va bien!

Une île déserte au milieu de l'océan... Ça va être dur!

À SAVOIR : si tu meurs, tu réapparais à ton point de départ initial. Balise le chemin entre ce point et l'abri que tu as construit. De cette façon, si tu meurs, tu pourras facilement retrouver la sécurité de ta maison.

1

Chaque journée Minecraft ne dure qu'une dizaine de minutes, du lever du soleil à l'est à son coucher à l'ouest. Tu n'as pas un instant à perdre! Évalue l'heure d'après la position du soleil dans le ciel car le soir, les monstres sortent. On y reviendra! Quand tu disposeras des ressources nécessaires, fais-toi une montre (regarde p. 86).

2

Priorité absolue : trouve quelques ressources de base et un bon endroit pour construire ton abri et y passer la nuit sans crainte des monstres. Va à l'arbre le plus proche et frappe le tronc jusqu'à ce que tous ses blocs se désintègrent. Ramasse les cubes au sol en passant dessus : à chaque nouveau «pop», un cube de plus se range dans ton inventaire.

ASTUCE : quand tu coupes des arbres, l'idéal est que les blocs de bois tombent sur toi et se rangent automatiquement dans ton inventaire. Si ce n'est pas le cas, c'est que tu n'es pas assez près : rapproche-toi.

3

Recommence l'étape 2 pour avoir au moins 15 blocs dans ta barre d'inventaire. Ouvre ton inventaire et mets du bois dans le carré de fabrication : chaque bloc te donnera 4 planches.

LE PATRON DES PLANCHES

4

Range tes planches dans ton inventaire. Puis dispose-les sur ta grille de fabrication : 4 planches te donneront un établi. C'est l'outil indispensable pour appliquer les recettes suivantes.

LE PATRON DE L'ÉTABLI

PAUL SOARES JR

MON PREMIER JOUR SUR MINECRAFT

MODE SURVIE EN SOLO

J'ai acheté Minecraft en juillet 2010. Notch venait de sortir la version Alpha 1.0.3, avec les bruits de monstres et de cavernes. Les poules et les vaches n'existaient pas. Les zombies libéraient des plumes au moment de leur mort. La barre de faim n'existait pas, pas plus que la guérison spontanée. Il n'y avait pas de lit pour dormir confortablement. Bref, c'était une autre époque...

Ma première journée sur Minecraft avait bien commencé. Mon paysage offrait de belles prairies, des plages de sable, des forêts denses, de vertes collines et de hautes montagnes d'où tombaient des cascades.

Je me suis longuement promené dans cet univers fantastique et inconnu. J'avais le sentiment de vivre une véritable aventure. Personne n'avait jamais foulé ce sol avant moi (sauf quelques cochons et moutons, bien sûr). Le monde que j'avais sous les yeux n'appartenait qu'à moi.

Puis le soleil a disparu à l'horizon et l'obscurité a recouvert le monde. J'ai alors compris que je n'étais pas seul, de terribles monstres surgissaient dans la nuit : des zombies, des squelettes et des araignées géantes, partout! Et au lieu de me souhaiter la bienvenue, ils ne voyaient en moi qu'une source de nourriture alléchante : avec des grognements terrifiants, ils me poursuivaient pour me dévorer!

Je me suis enfui, mais ces sales bêtes étaient sur mes talons. Je n'avais nulle part où aller. Il y en avait partout, même dans les grottes. Elles grouillaient dans la nuit et moi, je n'avais ni lumière ni abri, et pas la moindre arme. J'ai donc continué à courir au hasard dans le noir, à l'aveuglette.

C'est au cours de cette course folle que je suis tombé sur mon premier creeper. Je ne savais rien de lui, et il n'évoquait pour moi aucun monstre de légende ou de conte de fées. Il semblait en fait inoffensif et même assez mignon : il ne portait pas d'arme visible.

«C'est peut-être un ami», ai-je pensé. Je me suis approché de lui, espérant qu'il m'aiderait contre les monstres toujours à mes trousses. J'ai alors entendu une sorte de chuintement, et l'adorable créature s'est mise à gonfler.

Bizarre, bizarre... On aurait dit que la pression de cette charmante créature montait, montait...

et **BOUM!**

L'explosion du creeper m'a mis en miettes. Une nouvelle page est apparue sur mon écran : Vous êtes mort(e)!

C'est ainsi que s'est terminée ma première journée sur Minecraft.

J'ai alors décidé de réaliser mes propres tutoriels pour aider les nouveaux joueurs à ne pas se faire dévorer dès leur première nuit.

Retrouve tous mes conseils sur youtube.com/paulsoaresjr

LES OUTILS EN BOIS

Tes petits poings nus ne conviennent pas pour démolir des blocs ou des monstres : il te faut des outils et des armes adaptés à chaque situation. Et vite!

Au début du jeu, tu ne disposes que de bois : fabrique-toi tout de suite une pioche en bois pour creuser la pierre, tu pourras te faire ainsi des outils en pierre et extraire des ressources plus précieuses.

À SAVOIR : les outils s'usent plus ou moins vite selon le matériau dont ils sont composés. Après un certain nombre d'utilisations, ils sont usés et cessent d'être efficaces. Tu dois alors les remplacer ou les réparer.

D'un clic droit, pose ton établi devant toi et ouvre-le : ta grille de fabrication 3 x 3 te permet de produire tout ce dont tu auras besoin, c'est-à-dire des armes, des outils et bien d'autres objets.

LE PATRON DES BÂTONS

Deux planches superposées donnent 4 bâtons, ou manches d'outils.

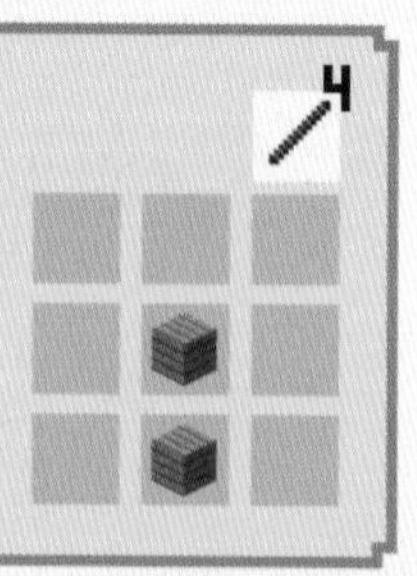

LE PATRON DE LA PIOCHE EN BOIS

Avec 3 planches de bois et 2 bâtons, tu fabriques une pioche permettant d'extraire le charbon et la pierre mais pas les minerais les plus précieux : redstone, or, diamant, etc.

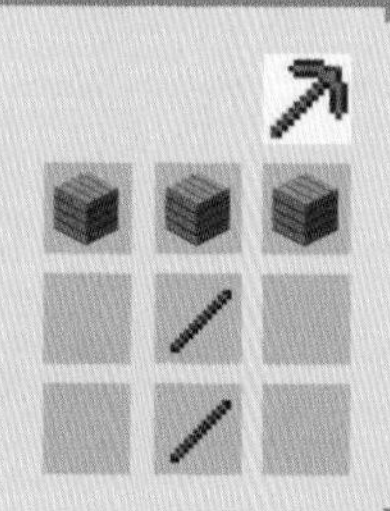

Durabilité*: 60

* Nombre d'actions que peut faire un objet.

LE PATRON DE LA HACHE EN BOIS

Tu abattras les arbres plus vite avec cet outil.

Durabilité : 60

LE PATRON DE LA PELLE EN BOIS

Pour creuser plus vite la terre, le sable, le gravier, la neige, etc.

Durabilité : 60

ASTUCE : quand tu as 2 outils usés identiques, pose-les sur ton établi, et tu en obtiens un neuf, plus durable. En plus, tu libères une case de ton inventaire qui a tendance à se remplir très vite !

Tu es maintenant prêt à creuser la pierre !

LES TORCHES

Le soleil se couche, il te faut de la lumière, vite. Les araignées, creepers et autres zombies apparaissent dans le noir, jusque dans ton abri. C'est terrifiant.

Horreur ! Une araignée géante qui voit dans la nuit !

1

Pour faire des torches, il faut du bois et du charbon. Cherche des filons de charbon à flanc de colline. Les blocs de charbon ressemblent à de la pierre avec des points noirs. Il y en a aussi dans le sous-sol.

2

Avec ta pioche en bois, frappe un bloc de minerai de charbon jusqu'à ce qu'il laisse tomber un morceau noir. Ramasse-le en passant dessus et fais-en une bonne réserve : tu n'auras jamais assez de torches !

3 LE PATRON DE LA TORCHE

Pour fabriquer des torches, tu n'es pas obligé d'utiliser ton établi, car tu n'as besoin que de 2 ingrédients : un bâton et un morceau de charbon qui te donneront 4 torches que tu peux poser sur le sol ou accrocher au mur. Les torches ne se placent ni sous un bloc, ni dans l'eau, ni sur le côté des escaliers.

JEB DIT : pour ta première nuit, si tu ne trouves pas de charbon, coupe plein d'arbres et transforme tes blocs de bois en charbon de bois dans un four. Le charbon de bois remplace le charbon dans toutes ses utilisations.

LE PATRON DU FOUR

Place 8 blocs de pierre sur ta grille de fabri-cation et tu obtiens ainsi un four.

LE PATRON DE LA LANTERNE

Pour te faire une lanterne, il suffit de mettre sur ta grille une citrouille et une torche.

ASTUCE : avec des torches tu peux faire fondre la neige et la glace.

À SAVOIR

Ne te gêne pas pour récupérer des torches si tu en trouves dans des forts, des mines abandonnées ou des villages.

UN ABRI

Fais-toi un abri dès le premier jour pour te protéger des monstres une fois la nuit tombée. N'oublie pas d'apporter ton établi, tu en auras besoin dès que tu seras à l'intérieur !

1

Creuse à flanc de colline. Commence, par exemple, là où tu as trouvé du charbon et creuse. Tu as besoin de place pour ton établi et bien d'autres objets et pour pouvoir bouger.

2

Avec les blocs que tu extrais, construis un mur pour te protéger du monde extérieur. Fais-toi une pièce en L pour te cacher dans un coin si un squelette veut tirer des flèches sur toi par la fenêtre.

NOTCH DIT : pour la première nuit, tu n'as pas besoin de luxe, juste de sécurité. Laisse un trou pour surveiller les monstres et surtout pour savoir quand le soleil se lève : il chasse les monstres.

3

Accroche une torche sur chaque mur de ton abri. Cela empêchera les monstres d'y venir. Ils apparaissent spontanément partout où il fait assez sombre.

LE PATRON DU COFFRE

N'attends pas que ton inventaire soit plein pour stocker des objets dans un ou plusieurs coffres.

À SAVOIR

Un coffre peut contenir jusqu'à 27 types d'objets. En plaçant 2coffres côte à côte, tu obtiens un coffre double qui en contient au plus 54.

4

Place le coffre dans ton abri. Ranges-y ce que tu veux garder en sécurité ou ce dont tu ne te sers pas pour le moment.

LES OUTILS ET LES ARMES EN PIERRE

La première nuit, tu n'as pas un instant à perdre. Enferme-toi dans ton abri pour fabriquer de meilleurs outils et te procurer les ressources dont tu auras besoin.

Utilise ton établi et fabrique des outils et des armes en pierre qui te donneront de meilleures chances de survie. De la pierre, tu en as à profusion à ta disposition : tu n'as qu'à creuser.

Range tes outils dans ta barre d'inventaire rapide. Et bravo pour les points d'expérience que tu as gagnés en les fabriquant !

ASTUCE : règle numéro 1 de Minecraft : ne creuse jamais directement sous tes pieds ni directement au-dessus de toi. Dans le premier cas, tu pourrais tomber dans la lave, dans une caverne ou dans un donjon et dans le second te faire tout bêtement écraser.

À SAVOIR : dès que tu as les ressources nécessaires, fabrique-toi des outils en fer, en or ou en diamant. Chaque matière correspond à une durabilité et à une rapidité dans le travail. Le diamant est le plus durable et le plus efficace.

La pioche en pierre est parfaite pour extraire du charbon rapidement.

BIEN S'ALIMENTER

En mode « Survie » et en mode « Hardcore », surveille bien tes barres de faim et de santé qui se trouvent au-dessus de ton inventaire rapide. Il y a 10 cœurs pour la santé et 10 jarrets qui ressemblent à des cuisses de poulet pour la faim.

Ta barre de santé diminue si tu ne manges pas ou si tu es blessé. Ta barre de faim diminue dès que tu accomplis des actions. Attention, si ta barre de santé descend jusqu'à zéro, tu meurs.

À SAVOIR : chaque aliment te rassasie différemment (1 point vaut une demi-icône). Une simple pomme de terre donne 1 point mais 1 gâteau 14. La recette du gâteau est en p. 37.

Si tu es toujours vivant le lendemain au lever du soleil (on peut toujours l'espérer...), ta priorité est de trouver de la nourriture. Heureusement, il y en a tout autour de toi.

Il n'y a pas d'obèses sur Minecraft : impossible de manger quand la barre de faim est pleine ou quand on joue en mode « Créatif ». On ne peut absorber de nourriture que quand la barre de faim est incomplète.

LA CHASSE
PAR PAUL SOARES JR

J'ai souvent des scrupules à tuer des animaux, mais ils représentent une ressource importante. Certaines espèces sont parfois exaspérantes... J'ai souvenir d'une vache particulièrement récalcitrante. Je n'avais que quelques jours d'expérience, il me fallait du cuir et je ne trouvais pas de vache. J'allais abandonner, quand j'ai aperçu sa silhouette qui se découpait sur le ciel au bord d'une falaise.

La paroi était trop à pic pour que je puisse l'escalader, j'ai donc utilisé un «ascenseur à gravier» : j'ai sauté et empilé sous mes pieds des cubes de gravier, et je me suis retrouvé à la hauteur de la vache. Mais elle a sauté sans hésiter et s'est retrouvée en bas. Furieux, j'ai creusé pour redescendre. J'ai finalement réussi à la coincer et je l'ai tuée : ça a fait «pouf» et, à ma grande déception, elle n'a rien libéré du tout!

Morale de l'histoire?

Quand tu chasses, prends ton arc!

LA VIANDE

La viande redonne beaucoup de points de faim. Cherche une vache, un cochon, un poulet, un mouton ou un lapin et frappe-les jusqu'à leur mort. Tu sauras qu'ils sont morts car ils deviendront rouges, tomberont puis disparaîtront.

Il est préférable de cuire la viande avant de la manger afin d'augmenter le nombre de points de faim qu'ils te redonneront. De plus, manger du poulet cru risque de t'empoisonner. Une fois que tu as obtenu de la viande crue, retourne à ton abri et cuis-la dans ton four. Place juste du charbon, du charbon de bois ou des bûches sous le symbole en forme de flamme, et ta nourriture crue en haut. Après quelques instants elle sera prête à être consommée. C'est une bonne idée de toujours garder de la nourriture cuite dans ton inventaire quand tu pars en exploration si jamais tu as besoin de reprendre rapidement des forces.

CRU		
Steak	3	points de faim
Côte de porc	3	points de faim
Poulet	2	points de faim
Mouton	2	points de faim
Lapin	3	points de faim

CUIT		
Steak	8	points de faim
Côte de porc	8	points de faim
Poulet	6	points de faim
Mouton	6	points de faim
Lapin	5	points de faim

ASTUCE : si le premier animal que tu tues ne te donne aucune viande, chasses-en un autre. L'animal essayera de s'enfuir dès que tu l'attaqueras, tu devras donc être rapide pour l'abattre.

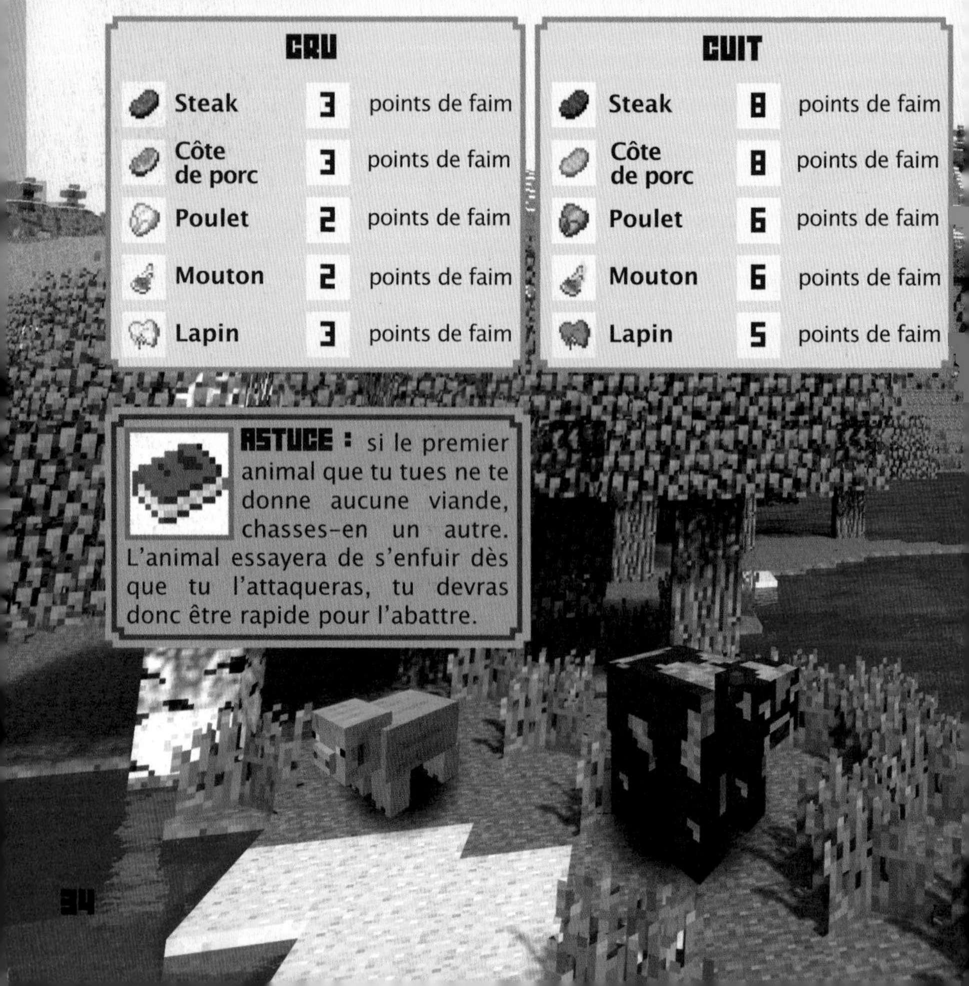

Le poisson frais est une source sûre et illimitée de nourriture. Par jour de pluie tu peux attraper en moyenne un poisson toutes les 15 secondes. Pour pêcher un poisson tu as seulement besoin d'une canne à pêche et d'un bateau.**

Il existe 3 types de poissons frais pouvant être attrapés avec une canne à pêche : le poisson frais, le saumon frais et le poisson-clown. Tu peux manger ces 3 types, mais le poisson frais et le saumon frais peuvent être cuisinés dans un four.

LE PATRON DE LA CANNE À PÊCHE

Tu as besoin de 3 bâtons et de 2 ficelles.

Durabilité : 65

La ficelle s'obtient en tuant des araignées, en détruisant des toiles d'araignée ou des fils déclencheurs.

CRU

Poisson	2	points de faim
Saumon	2	points de faim
Poisson-clown	1	point de faim

CUIT

Poisson	5	points de faim
Saumon	6	points de faim

Trouve une étendue d'eau et utilise ta canne à pêche pour lancer l'hameçon. Le bouchon s'enfonce quand un poisson mord à l'hameçon, tourne vite ton moulinet pour le remonter. Pour augmenter le nombre de points de faim qu'ils te rapportent tu peux cuire dans ton four poissons et saumons crus.

LES FRUITS ET LÉGUMES

Les fruits et les légumes sont des aliments parfaits si tu ne trouves pas d'animaux ou si tu ne supportes pas de devoir tuer une pauvre créature sans défense. Et ils sont tout autour de toi, si tu sais où regarder.

POMMES

Les pommes se trouvent dans les arbres : tu n'as pas besoin de les cultiver ou les préparer. Trouve des chênes puis détruis leurs feuilles jusqu'à ce qu'une pomme en tombe.

Points de faim : 4

TRANCHES DE PASTÈQUE

Les blocs de pastèque se trouvent dans les biomes jungle, et leurs graines dans les coffres de mines abandonnées. Un bloc de pastèque détruit donne de 3 à 7 tranches.

Points de faim : 2

CAROTTES

Les carottes sont parfois relâchées à la mort des zombies, mais peuvent surtout être trouvées dans les fermes des villages PNJ, prêtes à être récoltées.

Points de faim : 3

POMMES DE TERRE

Les pommes de terre sont rarement relâchées par les zombies et poussent dans les fermes des villages PNJ. Une patate cuite dans un four augmente le nombre de points de faim rendus.

Points de faim : 1 crue 5 cuite

[illegible]

Avec juste quelques ingrédients de base et un peu de savoir-faire, tu peux ouvrir ton menu Minecraft pour y inclure des plats cuisinés et des friandises redonnant chacun de nombreux points de faim. Miam!

LA RECETTE DU PAIN

Une miche de pain se fabrique avec 3 blés (cultivés à partir des graines relâchées par les herbes hautes).

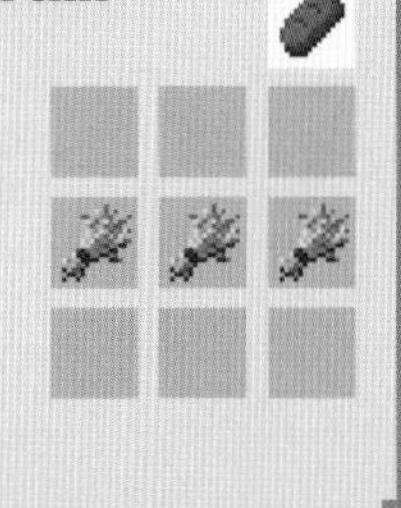

Points de faim : 5

LA RECETTE DE LA TARTE À LA CITROUILLE

Il faut une citrouille, du sucre (fabriqué avec la canne à sucre) et un œuf (relâché par les poulets).

Points de faim : 8

LA RECETTE DU COOKIE

Tu auras besoin de blé et de cacao (trouvé en grappes sur les troncs des arbres de la jungle).

Points de faim : 2

LA RECETTE DU GÂTEAU

Il faut 3 seaux de lait (obtenus en utilisant un seau sur une vache), 2 sucres, du blé (voir p. 78–79) et un œuf.

Points de faim : 14

LE PATRON DU SEAU

Tu peux fabriquer un seau avec 3 lingots de fer. Les seaux peuvent contenir de l'eau, de la lave ou du lait.

LA FABRICATION DU LIT

Ta deuxième nuit approche. Dans le courant de la journée, débrouille-toi pour te procurer de la laine afin de te faire un lit : cela rendra tes nuits plus agréables et confortables.

Si tu dors dans ton lit, placé dans un endroit sécurisé, tu es totalement à l'abri des monstres et tu te réveilles tranquillement au lever du soleil, alors que les monstres sont en train de disparaître. Trop bien !

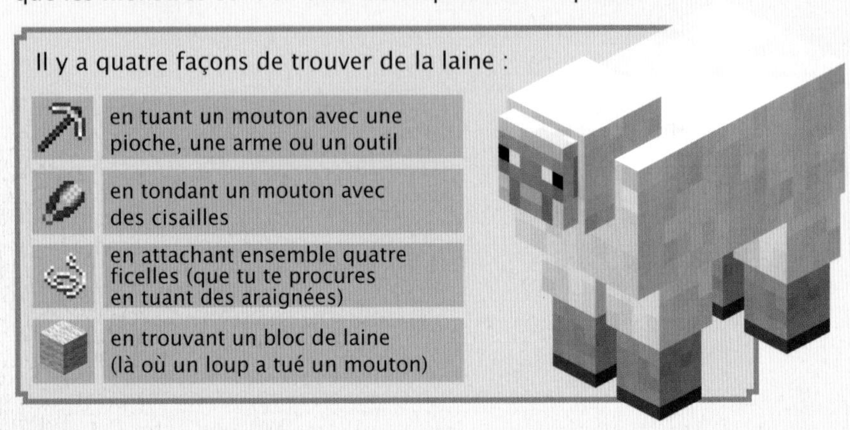

Il y a quatre façons de trouver de la laine :

- en tuant un mouton avec une pioche, une arme ou un outil
- en tondant un mouton avec des cisailles
- en attachant ensemble quatre ficelles (que tu te procures en tuant des araignées)
- en trouvant un bloc de laine (là où un loup a tué un mouton)

TONTE DES MOUTONS

Si ton amour des animaux te pousse à tondre un mouton au lieu de le tuer, tu seras récompensé : si tu le tonds avec une cisaille tu te retrouveras avec 1 à 3 blocs de laine alors que tu n'en auras qu'un si tu le tues. Touche un mouton avec tes cisailles, et ramasse la laine qui tombe.

LE PATRON DES CISAILLES

Il suffit de 2 lingots de fer, obtenus en fondant du minerai de fer dans ton four.

À SAVOIR

En solo, dès lors que tu auras dormi dans ton lit, c'est à côté de lui que tu réapparaîtras après chaque mort. C'est le principal avantage du lit. Si, en revanche, tu veux faire la sieste pendant la journée, tu n'obtiendras qu'un message du genre : « Debout, fainéant ! Il fait jour. »

LE PATRON DU LIT

Il te faut trois blocs de laine et trois planches. Fais de beaux rêves !

Zzzzzz…

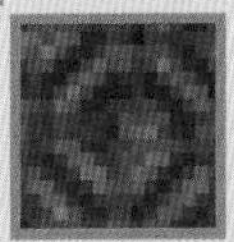

Quand tu seras plus expert, tu descendras peut-être dans le Nether ou dans l'Ender (ou End). Mais si, d'aventure, tu tentes d'y installer un lit, il t'explosera à la figure…

En explorant, tu découvriras de nouveaux blocs dans les endroits les plus improbables. La plupart apparaissent à la surface, mais avec un peu d'expérience en minage tu pourras trouver les substances les plus précieuses profondément sous le sol.

Voici une table rassemblant les blocs de base, divisés en différentes catégories. Les minerais sur la gauche sont surtout trouvés sous terre – certains sont très rares. La majorité des autres blocs sont très communs dans le monde principal. La colonne à droite contient les blocs qu'on ne peut trouver que dans les dimensions du Nether et de l'Ender.

La plupart des blocs peuvent être minés et ramassés sauf la bedrock, les toiles d'araignée, le générateur de monstre, l'air, l'eau, le feu et la lave.

MINERAIS

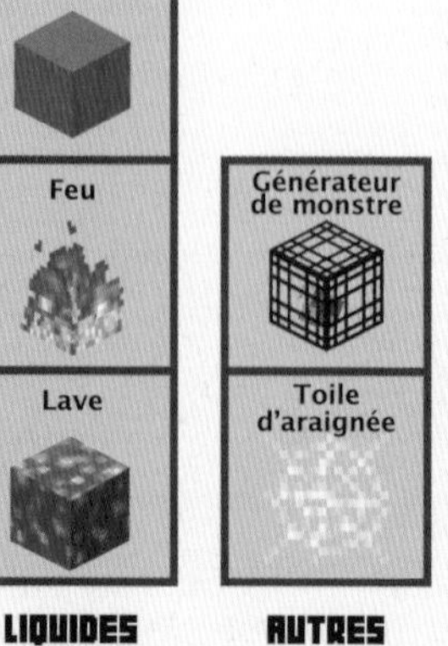

LIQUIDES ET GAZ

AUTRES

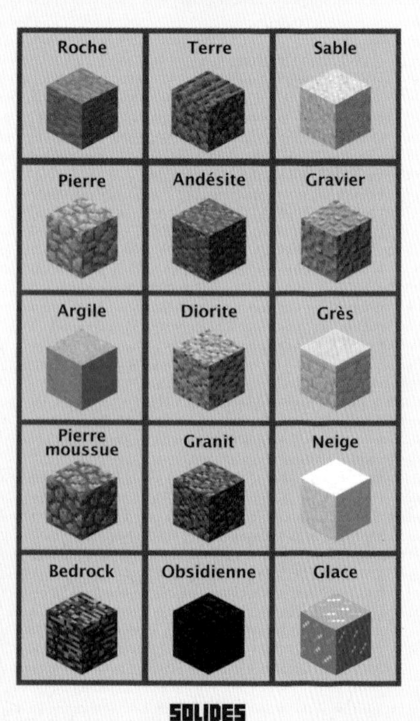

SOLIDES

À SAVOIR : certains outils permettent de miner efficacement certains blocs. Les blocs de bois se coupent facilement à la hache, pour le sable et le gravier il vaut mieux utiliser une pelle. Quelques minerais d'exception exigent une pioche en fer ou mieux.

ASTUCE : sois certain de toujours avoir une hache, une pioche et une pelle dans ton inventaire. Ainsi tu seras préparé à miner n'importe quel type de bloc qui se présentera à toi.

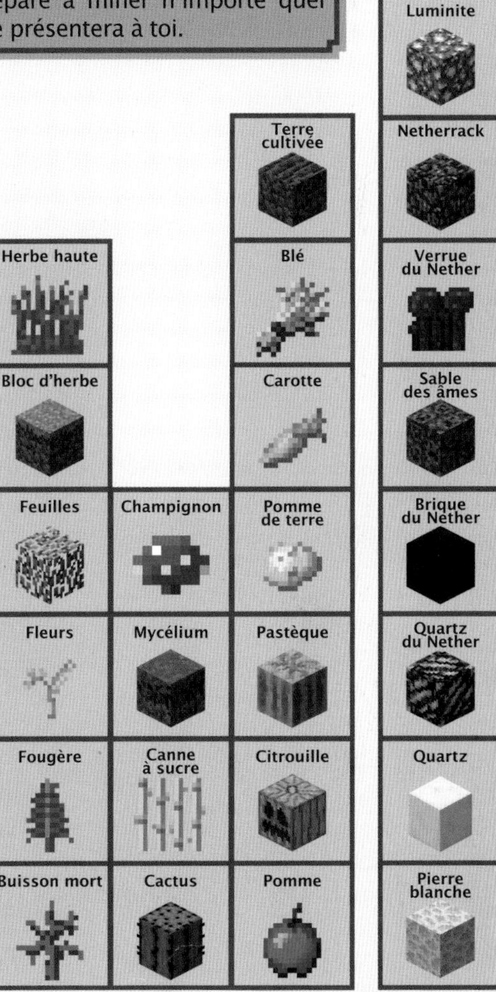

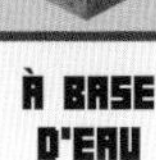

COMMENT EXTRAIRE LES MINÉRAUX RARES

PAR CAPTAINSPARKLEZ

L'or, la redstone, l'émeraude et le diamant sont des minerais précieux, dont la possession est très utile. Pour les trouver, il te faut descendre très profond et te munir d'une pioche en fer. Tu découvriras des monstres souterrains que tu ne connaissais pas et, pour te défendre, emporte avec toi des armes de rechange et endosse une armure en cuir ou en fer par exemple.

LE MINERAI D'OR

C'est le plus facile à trouver, le plus souvent en grande quantité entre les profondeurs y=1 et y=31. Pour en extraire l'or, place ton minerai dans ton four, fais-le fondre avec du charbon et, avec les lingots obtenus, fabrique-toi des armures et des armes.

LE MINERAI DE REDSTONE

Plus abondant que l'or, il se situe à une profondeur de y=1 à y=15. À chaque fois que l'on mine un bloc de redstone, celui-ci donne 4 ou 5 éléments de poudre de ce minerai, que l'on peut utiliser dans des circuits spéciaux.

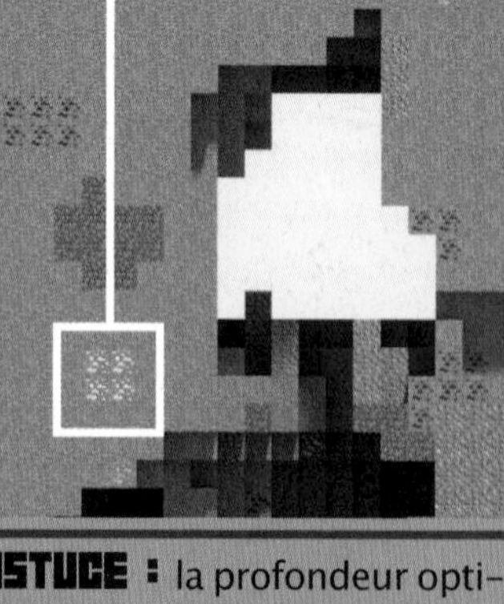

ASTUCE : la profondeur optimale pour trouver ces quatre minerais se situe entre les niveaux y=5 et y=10. C'est très profond, mais ça mérite de faire l'effort de creuser! C'est là qu'il y a la plus forte concentration de minerai.

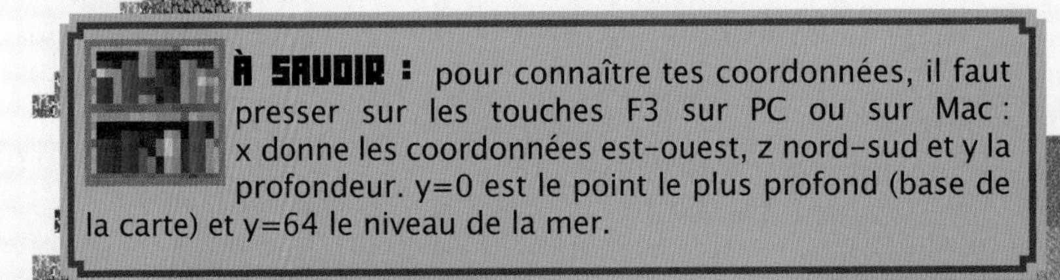

À SAVOIR : pour connaître tes coordonnées, il faut presser sur les touches F3 sur PC ou sur Mac : x donne les coordonnées est-ouest, z nord-sud et y la profondeur. y=0 est le point le plus profond (base de la carte) et y=64 le niveau de la mer.

LE MINERAI DE DIAMANT

C'est peut-être le matériau le plus utile du jeu, tu le trouveras entre les niveaux y=1 et y=15 mais il est moins abondant que l'or. Ce minerai donne le diamant, qui te permet de fabriquer des outils, des armes et des armures.

LE MINERAI D'ÉMERAUDE

Le plus rare des 4, il se trouve entre les niveaux y=4 et y=31, mais en quantités beaucoup plus faibles. Chaque bloc de minerai ne donne qu'une émeraude, à troquer dans les villages en échange d'autres objets.

LE MINAGE : LES RÈGLES D'OR

Le minage peut être une entreprise extrêmement dangereuse, mais elle est aussi essentielle si tu veux avoir accès aux matériaux utiles. Garde en tête ces règles d'or et tu auras une chance de survie beaucoup plus grande pendant tes voyages souterrains.

1 EMPLACEMENT

Trouve un système de grottes naturelles plutôt que de creuser à l'aveugle dans le sol. Tu gagneras du temps et de précieuses ressources. Cela pourrait aussi directement te mener aux bonnes choses.

2 COMMENCER

Ne creuse jamais sous tes pieds ou au-dessus de toi. Tu pourrais être submergé par de la lave, de l'eau ou des ennemis.

3 SÉCURITÉ D'ABORD

Amène toujours un seau d'eau et place-le dans ton inventaire rapide pour l'utiliser si tu tombes dans la lave ou si tu prends feu.

4 CASCADES

Si tu es prudent tu peux remonter ou descendre les cascades en nageant, ce qui permet de relier différents niveaux. Rappelle-toi juste de ne pas rester immergé trop longtemps sinon tu te noieras.

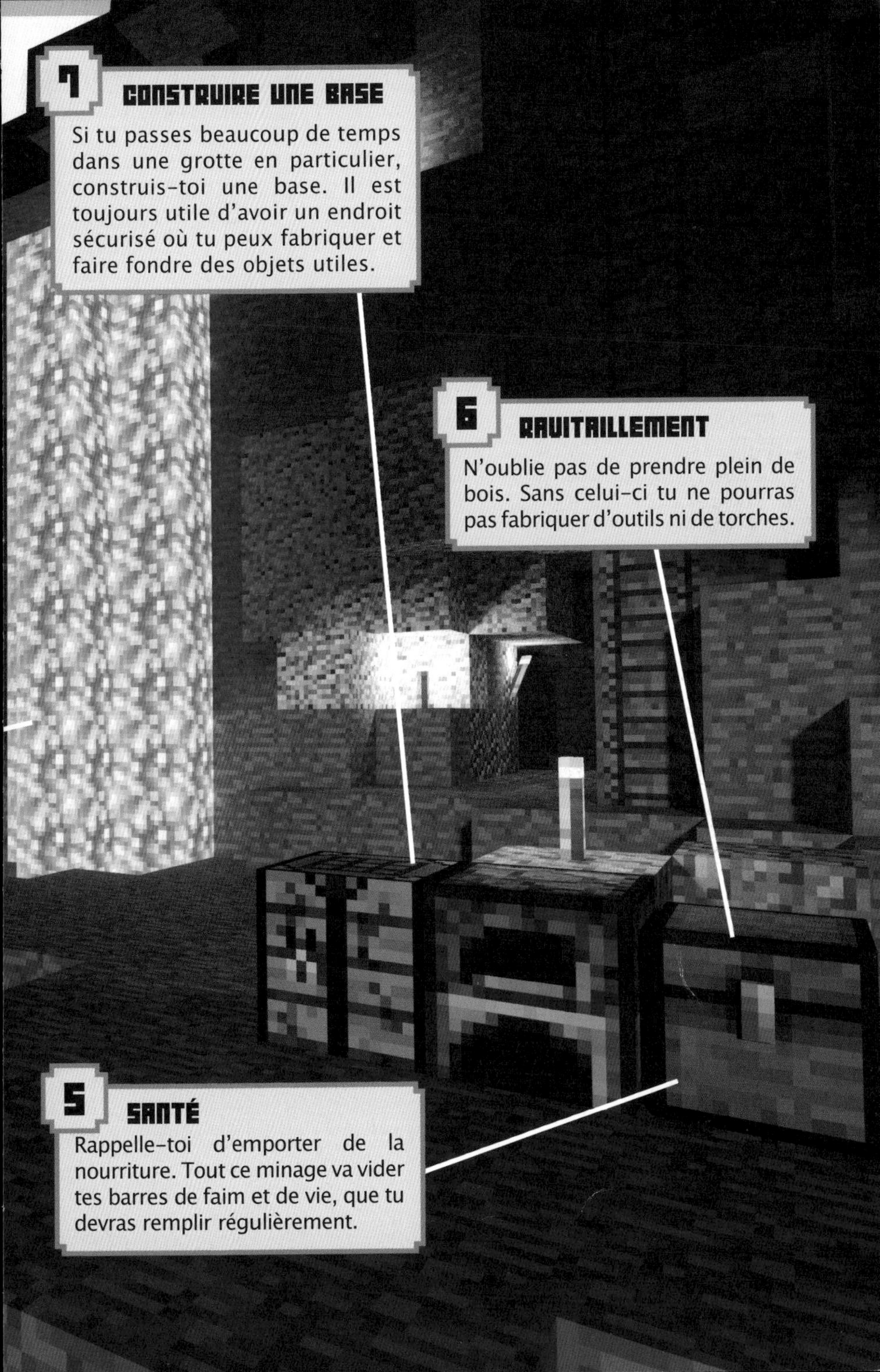
7
CONSTRUIRE UNE BASE
Si tu passes beaucoup de temps dans une grotte en particulier, construis-toi une base. Il est toujours utile d'avoir un endroit sécurisé où tu peux fabriquer et faire fondre des objets utiles.
6
RAVITAILLEMENT
N'oublie pas de prendre plein de bois. Sans celui-ci tu ne pourras pas fabriquer d'outils ni de torches.
5
SANTÉ
Rappelle-toi d'emporter de la nourriture. Tout ce minage va vider tes barres de faim et de vie, que tu devras remplir régulièrement.

LES CRÉATURES

Les créatures possèdent une certaine forme d'intelligence et peuvent se mouvoir indépendamment du joueur. Dans les créatures on trouve les monstres et les villageois, mais aussi les animaux. La plupart des créatures fournissent des objets utiles.

Certaines créatures sont passives et n'attaquent jamais, quoi que tu leur fasses. Certaines sont neutres et ne deviennent hostiles que si tu les attaques en premier. Mais beaucoup sont hostiles et attaquent dès qu'elles te voient. Il est donc très important que tu saches où les trouver et à quoi elles ressemblent.

LES ANIMAUX

Majoritairement passifs, les animaux fournissent de très nombreux matériaux fort utiles pour se nourrir ou compléter son équipement.

VACHE

Les vaches sont les animaux les plus bruyants du monde principal mais c'est aussi une supersource de matériaux.

HABITAT :
sur la terre ferme

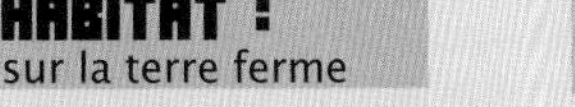

LIBÈRE :

0 à 2 peaux en cuir

lait, si on la touche vivante avec un seau

1 à 3 steaks crus

1 à 3 points d'expérience

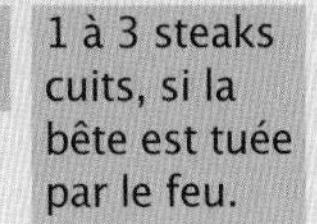

1 à 3 steaks cuits, si la bête est tuée par le feu.

HOSTILITÉ
passive

CHAMPIMEUX

Vaches rouge et blanc couvertes de champignons

HABITAT : dans les biomes champignon

LIBÈRE :

soupe de champignons, touché vivante avec un bol

5 champignons si tondue

1 à 3 steaks cuits, si tuée par le feu

0 à 2 peaux en cuir

1 à 3 points d'expérience

1 à 3 steaks crus

HOSTILITÉ
passive

L[illegible] ... (SUITE)

LAPIN

Tout doux, mais potentiellement mortel

LIBÈRE :

	0 à 1 lapin cru		0 à 1 peau de lapin
	0 à 1 lapin cuit si tué par le feu		une patte de lapin (rarement)

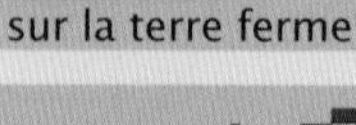

HABITAT :
sur la terre ferme

HOSTILITÉ

passive, à l'exception du lapin tueur. C'est un lapin tout sauf amical.

COCHON

Source de nourriture et moyen de transport.

LIBÈRE :

	1 à 3 morceaux de porc cru
	1 à 3 morceaux de porc cuit, si tué par le feu
	une selle, s'il est sellé
 	1 à 3 points d'expérience

HABITAT :
sur la terre ferme

HOSTILITÉ

passive

À SAVOIR : le cochon est un moyen de transport! Il suffit d'avoir une selle et une carotte au bout d'un bâton. Selle le cochon et enfourche-le, puis conduis-le avec la carotte. Les selles se trouvent dans des coffres à l'intérieur des donjons, des mines abandonnées, des forteresses du Nether, des temples du désert et de la jungle, et dans les coffres du forgeron dans les villages PNJ.

LE PATRON DE LA CAROTTE AU BOUT D'UN BÂTON

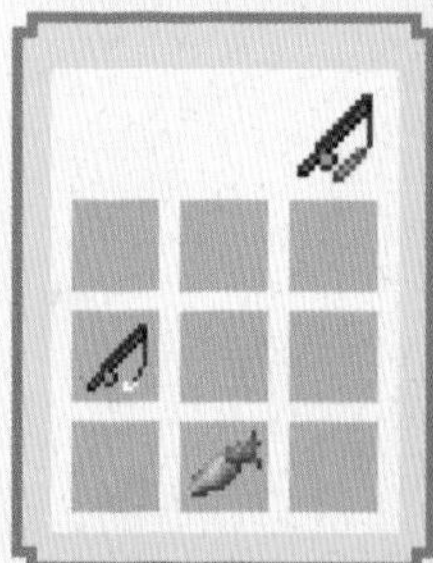

CHEVAL

Les chevaux, les ânes et les mules peuvent être apprivoisés et sont un des moyens de transport les plus rapides.

HABITAT : les chevaux et les ânes vivent dans les plaines et les savanes. Les mules naissent quand un joueur fait s'accoupler un cheval avec un âne.

HOSTILITÉ
passive

LIBÈRE :

	0 à 2 peaux en cuir
	une selle, s'il est sellé
	une armure de cheval, s'il est caparaçonné
	un coffre et son contenu, s'il en est chargé
	1 à 3 points d'expérience

L[illegible]... (SUITE)

LOUP Les loups sauvages peuvent être apprivoisés, ce qui les transforme en chiens. Évite de les frapper, ils risquent de devenir hostiles.

HABITAT : dans les zones herbeuses des forêts et des biomes taïga

HOSTILITÉ en général neutre 

HOSTILITÉ hostile si on l'attaque 

LIBÈRE : 1 à 3 points d'expérience

À SAVOIR : apprivoise les loups avec quelques os. Les squelettes laissent des os quand ils meurent. Le loup apprivoisé a un collier rouge. Il attaque tous tes agresseurs sauf le creeper, qui le fait détaler. Pas folle la bête !

Tu peux tenir en laisse ton loup apprivoisé avec une canne à pêche.

OCELOT

Les ocelots sauvages peuvent être apprivoisés, ce qui les transforme en chats.

LIBÈRE : 1 à 3 points d'expérience

HABITAT : dans les jungles

HOSTILITÉ
passive

Apprivoisé avec du poisson, l'ocelot devient un chat. Or tous les chats effraient les creepers : cela fait d'eux d'excellents compagnons.

CHAUVE-SOURIS

Ce sont les seules créatures passives pouvant voler.

HABITAT : n'importe où dans le monde normal

LIBERE : rien

HOSTILITÉ
passive

Les chauves-souris sont uniques, ce sont les seules créatures passives qui volent et qui apparaissent dans l'obscurité.

POULPE

Malgré leurs grandes dents les poulpes sont inoffensifs et très heureux dans leur coin.

HOSTILITÉ
passive

HABITAT : dans l'eau

LIBÈRE :

1 à 3 sacs d'encre

1 à 3 points d'expérience

Les villageois

Les villageois sont des personnages humains qui peuvent être habillés de cinq manières différentes selon leur métier dans le village.

RÉSIDENCE : dans des villages. On les voit se promener ou vaquer à leurs occupations professionnelles dans leurs lieux de travail. Ils apparaissent dans ces mêmes bâtiments.

LIBÈRE : rien, mais ils libèrent volontiers des objets contre des émeraudes.

N'aie pas peur des géants de fer qui arpentent les villages : ce sont des golems de fer qui défendent les villageois contre les créatures hostiles. Ils surgissent spontanément dans les villages comptant au moins 10 habitants et 21 portes. Pour te fabriquer un de ces mercenaires bien utiles, il faut 4 blocs de fer et une citrouille pour la tête.

À SAVOIR : les villageois se reproduisent automatiquement et font des bébés très mignons, mais cela ne dure que 20 minutes, après ils deviennent adultes.

FAIRE DU TROC AVEC LES VILLAGEOIS
PAR CAPTAINSPARKLEZ

Chaque villageois ouvre une fenêtre de troc quand on fait un clic droit en le regardant, tout en étant près de lui, ce qui permet d'échanger des objets qu'on possède, ou qu'il faut trouver, contre les objets qu'il propose. Ajoute à gauche de la flèche dans la fenêtre de troc ce que tu vends, et un objet te sera proposé à droite. Les transactions peuvent nécessiter des émeraudes. Une fois que tu commences à troquer, les villageois te font de nouvelles propositions. Quand un villageois offre quelque chose de nouveau, il a au-dessus de la tête un nuage de particules violettes. Consulte ses offres en cliquant sur les flèches à droite ou à gauche en haut de la fenêtre de troc. Les objets sont coûteux car il est difficile de se procurer des émeraudes mais, en mode « Survie », c'est seulement dans un village que tu peux trouver une armure en cotte de mailles ou une bouteille magique. Ça mérite un effort!

ASTUCE : tu trouveras aussi dans les villages de nombreuses ressources ou objets de valeur. Il y a des choses aussi rares que des diamants, par exemple. Tu peux t'en emparer sans problème et les villageois sont parfois disposés à payer pour récupérer leurs propres biens. Incroyable!

Attaqués par des zombies, des villageois peuvent eux-mêmes devenir des zombies et leurs bébés de terrifiants bébés-zombies. Sauve qui peut!

[illegible] IL : L[illegible]
(NOM SCIENTIFIQUE : CREEPUS EXPLODUS)

De tous les monstres, les creepers sont parmi les plus dangereux. Ils te poursuivent et, une fois près de toi, ils explosent : cela risque de te tuer mais surtout, ça démolit tout le voisinage. Si c'est dans ton abri, imagine les dégâts ! Presque silencieux, ils risquent de te prendre par surprise. Juste un chuintement discret et boum !

Les creepers apparaissent là où il y a au maximum 7 de lumière, mais ne meurent pas au lever du jour. Ils continuent à errer et à tuer. S'il y a de la lumière chez toi, les creepers n'y viendront pas.

À SAVOIR : Notch a inventé le creeper par hasard, en essayant de faire un cochon !

COMMENT LE TUER :

en le criblant de flèches, de loin

au corps à corps avec une arme extrêmement solide, par exemple une épée en diamant. Mais dès qu'il se met à chuinter, enfuis-toi très vite !

par explosion, en l'attirant dans un trou plein de TNT

en essayant de le pousser du haut d'une falaise

en essayant de le faire marcher sur de la lave

en essayant de le pousser dans des cactus

LIBÈRE :

 de la poudre à canon, dont tu peux faire du TNT

 albums de musique, quand il est tué par un squelette

5 points d'expérience

Lorsqu'il est frappé par la foudre pendant un orage, le creeper se charge et devient encore plus dangereux. Raison de plus pour garder tes distances !

RENCONTRE PRÉMATURÉE AVEC UN CREEPER

PAR PAUL SOARES JR

Dans mon premier monde, je m'étais creusé un abri à flanc de colline, avec une belle terrasse au-dessus de la pelouse. La nuit, je sortais sur le balcon pour narguer les monstres. Une nuit, il y a eu tout un groupe de creepers surexcités qui s'agitaient en vain, impuissants, car ils ne pouvaient

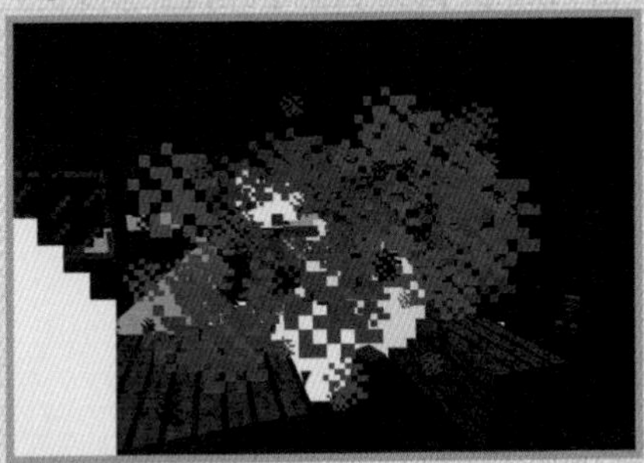

pas m'atteindre. Je m'amusais bien jusqu'au moment où un creeper descendu du sommet de la colline atterrit à côté de moi. Je fis un bond de côté et, boum ! plus de terrasse. Je survécus mais mon balcon avait disparu et je tombai sur la pelouse au beau milieu d'une foule hostile et déchaînée qui ne fit de moi qu'une seule bouchée.

Morale? Les creepers ont toujours le dernier mot.

Avec Minecraft, l'impossible est parfois possible, pour toi comme pour les monstres. Les creepers n'ont pas de bras mais ils montent aux échelles et aux plantes grimpantes. Tu es averti !

PROFIL : LE SQUELETTE

Les squelettes sont rapides et armés d'arcs et de flèches : ils tuent de loin. Le pire est qu'ils ne sont pas idiots : ils grimpent aux échelles et s'abritent du soleil quand c'est possible, pour ne pas s'enflammer et mourir brûlés.

Ils apparaissent là où la lumière est inférieure à 8; ils émettent une sorte de cliquetis presque musical.

ARMES :

arcs et flèches enchantés (rares)

HOSTILITÉ

passive

COMMENT LE TUER :

le cribler de flèches, de loin

le frapper avec une arme résistante – une épée en fer par exemple – et prendre la fuite

le bloquer au grand jour : il prend feu.

le faire tomber de haut, par exemple d'une falaise

le faire marcher sur de la lave

le pousser contre un cactus

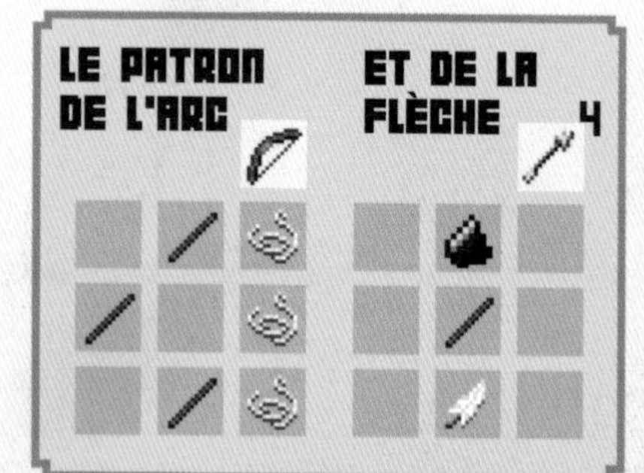

ASTUCE : si tu tues un squelette à 50 blocs de distance ou plus, avec une flèche, tu gagnes le trophée Duel de Sniper.

À SAVOIR : les squelettes, contrairement aux joueurs, arrivent à tirer des flèches sur les endermen. Et du coup, l'enderman attaque le squelette et, dans la majorité des cas, le tue en quelques instants.

LIBÈRE :

	des os
	des flèches
	son arc, parfois
	son armure (s'il en a une mais c'est rare)
	5 points d'expérience

TUER UN SQUELETTE
PAR CAPTAINSPARKLEZ

Le plus facile est d'utiliser l'arc contre l'archer, de loin. Si tu as toi-même un arc, tu as moins de chances de te faire transpercer par les flèches de l'ennemi. Les squelettes ont autant de vitalité que les joueurs : 3 flèches au but avec un arc bien bandé suffisent à le tuer.

Si tu n'as pas d'arc ou que tes flèches sont épuisées, le corps à corps est inévitable. Précipite-toi vers lui en zigzag, le squelette aura du mal à te toucher. Si tu pares ses flèches avec ton épée, elles te feront moins de mal. Évite cependant le corps à corps dans l'eau car tes mouvements y sont moins faciles alors que ton ennemi y conserve toute son agilité, et celle-ci est redoutable.

Les squelettes ont l'étrange capacité de ramasser les armures, les têtes de monstre, les citrouilles et les lanternes. S'ils parviennent ainsi à se couvrir la tête, ils ne brûlent plus au soleil. Empêche-les à tout prix de se protéger car il n'y a rien de pire qu'un squelette en pleine lumière!

[illegible] IL : L[illegible] M[illegible]

Les zombies isolés ne sont guère dangereux, mais ils se déplacent volontiers en groupes et leur seul contact suffit à causer des blessures.

Ils apparaissent sur des blocs solides, là où la lumière est inférieure à 8. Tu les reconnaîtras à leurs grognements caractéristiques quand ils se déplacent et à leur étrange rot au moment de l'agonie.

HOSTILITÉ
hostile

ASTUCE : les zombies essaieront d'enfoncer la porte de ton abri. Si elle est en bois, ils ne réussiront que si tu as choisi le mode difficile. Mais si elle est en fer, leurs petits poings verts n'arriveront à rien. Et toc !

À SAVOIR : certains zombies ramassent les objets qu'ils trouvent par terre : s'ils se procurent ainsi des épées, ils deviennent alors carrément dangereux. Gare à toi !

COMMENT LE TUER :

 de loin, avec un arc

 à coups redoublés avec une arme

 en le bloquant au soleil, il prend feu. S'il se met à l'ombre ou plonge dans l'eau, tu auras du mal.

 en le poussant d'une falaise

 en le faisant marcher sur la lave

 en le poussant contre un cactus

Si un zombie trouve de quoi se couvrir la tête, il ne brûle pas au soleil.

Certains zombies naissent avec une armure, qu'ils libèrent en mourant.

LIBÈRE :

 de la chair putréfiée, que tu peux manger en dernier recours mais qui risque de t'empoisonner.

 5 points d'expérience

 des lingots de fer (très rarement)

 des pelles (très rarement)

 des épées (très rarement)

 des carottes et des pommes de terre (très rarement)

RENCONTRE PRÉMATURÉE AVEC UN ZOMBIE

PAR PAUL SOARES JR

En enregistrant un tutoriel sur la façon de survivre sous terre, j'ai failli mourir dans de la lave. Je ne me suis pas affolé, j'ai réagi rapidement et un seau d'eau m'a sauvé la vie. J'étais trop fier!

Plus tard, j'ai repéré du minerai de redstone sur une corniche en surplomb au-dessus de la lave. J'ai réussi à m'en emparer malgré le danger et je me suis éloigné sur la corniche avec mon butin quand un zombie y a sauté et m'a frappé. Le choc m'a précipité dans la lave, mais cette fois, je n'avais pas de seau d'eau à portée de main et j'ai grillé comme un steak.

Morale? Ne prends pas la grosse tête!

[illegible] 11 : L'ARAIGNÉE

L'araignée n'est hostile que quand la lumière est faible, elle n'est donc dangereuse que la nuit ou dans les coins sombres. Son hostilité perdure à la lumière du jour si elle a commencé à chasser de nuit ou bien si elle est attaquée.

Elle apparaît là où la lumière est à moins de 10, et voit à travers les blocs solides. Elle est capable de grimper aux murs et de faire de longs sauts. Tu l'entends chuinter quand elle approche. Dans le noir, ses yeux rouges se voient de loin.

HOSTILITÉ
hostile
à l'ombre

COMMENT LA TUER :

	de loin, avec un arc		en la poussant d'une falaise
	avec une arme : hache ou épée		en la faisant marcher sur la lave
	en y mettant le feu avec un briquet		en la poussant contre un cactus

LIBÈRE :

de la ficelle, dont tu feras des arcs, des cannes à pêche et de la laine.

5 points d'expérience

si elle est tuée directement par un joueur, ses yeux servent à confectionner certaines potions (pas pour les débutants).

TUER UNE ARAIGNÉE
PAR CAPTAINSPARKLEZ

Le mieux, c'est de taper dessus avec une épée, car elle s'acharne à contre-attaquer. Avec 16 unités de santé, l'araignée est plus vulnérable qu'un zombie, mais son agilité lui permet de frapper plus souvent.

L'arc est efficace pour attaquer de loin, mais pas au corps à coprs; le temps que tu recharges ton arme avec une nouvelle flèche pour tirer et toucher mortellement l'araignée, celle-ci aura eu le temps de te porter plusieurs attaques.

À SAVOIR
Certaines araignées portent un squelette sur leur dos : ces dangereuses araignées-chevauchées ont la capacité de sauter, de grimper aux murs et de tirer des flèches. Redoutable !

ASTUCE : pas question d'accepter le combat avec une araignée-chevauchée, sauf si tu as une armure, un arc, des flèches et beaucoup de place. Fuis ou elle te tuera en quelques secondes !

[illegible] IL : L'[illegible]MAN

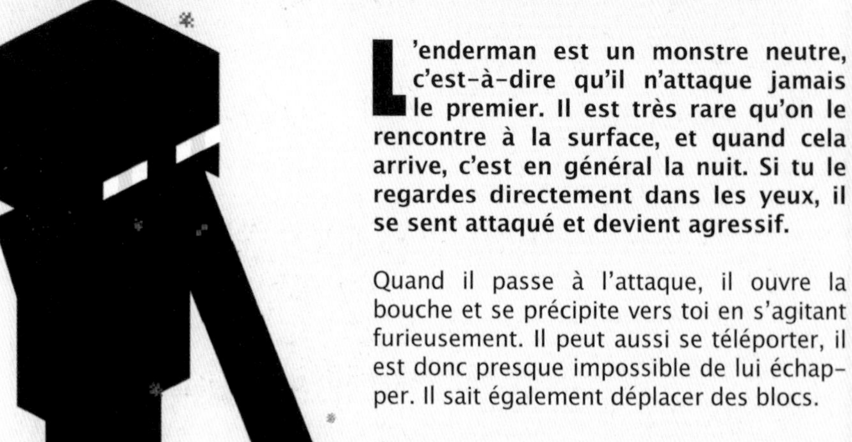

L'enderman est un monstre neutre, c'est-à-dire qu'il n'attaque jamais le premier. Il est très rare qu'on le rencontre à la surface, et quand cela arrive, c'est en général la nuit. Si tu le regardes directement dans les yeux, il se sent attaqué et devient agressif.**

Quand il passe à l'attaque, il ouvre la bouche et se précipite vers toi en s'agitant furieusement. Il peut aussi se téléporter, il est donc presque impossible de lui échapper. Il sait également déplacer des blocs.

Ils apparaissent par 2, contrairement aux autres monstres, et se déplacent souvent en groupes la nuit. Le jour, ils se retirent sous terre.

À SAVOIR : si tu mets une tête de citrouille, l'enderman ne s'aperçoit de rien quand tu le regardes. Bizarre, mais vrai !

ASTUCE : l'arme secrète de l'enderman, c'est la téléportation qui lui permet de se déplacer instantanément et de t'attaquer par derrière. Dès qu'il manifeste de l'hostilité, colle-toi le dos à un mur aussi vite que possible, et ne te déplace que latéralement : il ne pourra pas se téléporter derrière toi pour te prendre à revers, car il lui est impossible de passer à travers les murs.

COMMENT LE TUER :

ne perds pas de temps à bander ton arc pour le cribler de flèches, il se téléporte avant d'être touché. Mais ne te décourage pas car tu as le choix entre plusieurs autres tactiques :

pousse-le dans l'eau ou arrose-le avec un seau.

depuis un trou de 2 blocs de hauteur attaque-le.

fais-le marcher sur de la lave.

pousse-le contre un cactus.

LIBÈRE :

des perles du Néant. Elles sont indispensables pour te fabriquer un œil d'Ender.

5 points d'expérience

L'enderman déplace des blocs ; il peut construire par hasard un golem de neige (deux blocs de neige) ou un golem de fer (quatre blocs de fer en T) en posant sur ce type d'empilements une citrouille.

RENCONTRE PRÉMATURÉE AVEC UN ENDERMAN
PAR PAUL SOARES JR

Quelle drôle de créature, cet enderman! Il se montre très bien élevé tant que tu ne le regardes pas droit dans les yeux! J'avais commencé à jouer à Minecraft avant qu'il n'existe. La première fois que j'en ai rencontré un, j'ai eu la peur de ma vie. J'avais remporté jusque-là des tas de victoires contre tous les monstres possibles. Je me sentais le roi du monde. Et un soir que je traversais un pré, j'ai repéré dans le lointain une haute silhouette aux jambes démesurées. Ma curiosité m'a poussé à m'en approcher pour mieux voir.

La créature semblait errer au hasard, et j'ai observé qu'elle portait un bloc de terre au bout de ses longs bras. Elle ne semblait pas particulièrement hostile. Puis elle s'est tournée vers moi et il se trouve que nos regards se sont croisés. Le monstre s'est mis à trembler et à lancer un hurlement terrifiant, mais sans approcher. Épouvanté, j'ai pris mes jambes à mon cou. J'ai entendu un étrange sifflement que je ne connaissais pas et, sans que je l'ai vu venir, il m'est tombé dessus à bras raccourcis. Je n'ai pas eu le temps de réagir… et je suis mort.

Morale? Un regard de trop… et tu es mort!

PROFIL : L'ENDERMITE

Les endermites apparaissent parfois quand un enderman se téléporte ou quand un joueur lance une perle du Néant. Elles sont de petites et hostiles créatures qui ressemblent à des insectes et aux poissons d'argent. Elles ont un unique œil rouge et comme les endermen elles émettent des particules violettes. Elles disparaîtront après 2 minutes.

Un enderman a 15 % de chances de faire apparaître une endermite lorsqu'il se téléporte. Ce taux diminue de 1 % à chaque fois qu'il en fait apparaître une.

Quand une endermite apparaît, les endermen vont automatiquement l'attaquer. Quant aux endermites, elles vont attaquer le joueur se trouvant dans un rayon de 16 blocs et infligeront 2 points de dégâts par coup.

HOSTILITÉ

hostile

LIBÈRE 3 points d'expérience

À SAVOIR : si tu décides de donner un nom à une endermite en utilisant une étiquette, elle vivra jusqu'à ce qu'elle soit tuée. Les étiquettes nominatives ne se fabriquent pas mais se trouvent dans les coffres générés naturellement et parfois en pêchant. Sélectionne l'étiquette dans ta barre d'inventaire rapide, utilise-la sur une endermite puis écris son nouveau nom.

COMMENT LES TUER :

attaque-les par le haut à partir d'une tour de 2 blocs de haut pour qu'ils ne te blessent pas.

attire-les dans le sable des âmes. Ils s'y noieront.

PROFIL : LE POISSON D'ARGENT

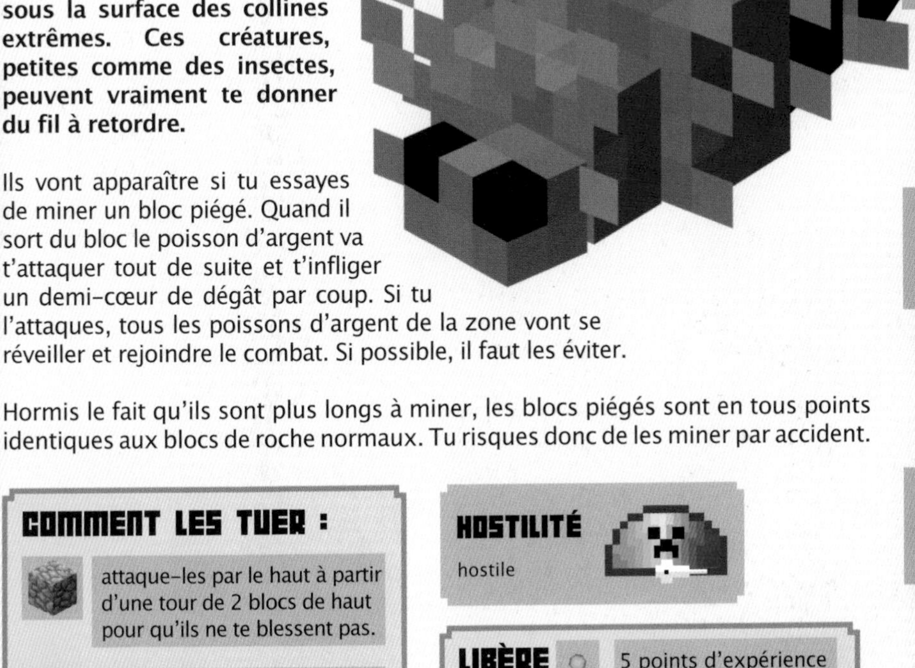

Les poissons d'argent apparaissent via les générateurs de monstre des forts, ainsi que dans des blocs piégés ressemblant à de la roche et que l'on trouve dans les forts et sous la surface des collines extrêmes. Ces créatures, petites comme des insectes, peuvent vraiment te donner du fil à retordre.

Ils vont apparaître si tu essayes de miner un bloc piégé. Quand il sort du bloc le poisson d'argent va t'attaquer tout de suite et t'infliger un demi-cœur de dégât par coup. Si tu l'attaques, tous les poissons d'argent de la zone vont se réveiller et rejoindre le combat. Si possible, il faut les éviter.

Hormis le fait qu'ils sont plus longs à miner, les blocs piégés sont en tous points identiques aux blocs de roche normaux. Tu risques donc de les miner par accident.

COMMENT LES TUER :

- attaque-les par le haut à partir d'une tour de 2 blocs de haut pour qu'ils ne te blessent pas.
- attire-les dans le sable des âmes. Ils s'y noieront.
- essaye de les frapper avec une épée en diamant. S'ils sont tués en un coup, les poissons d'argent à proximité ne seront pas réveillés.

HOSTILITÉ

hostile

LIBÈRE 5 points d'expérience

ASTUCE : pour éviter de te faire submerger par les poissons d'argent quand tu mines, fais des mines larges et ouvertes. De cette manière tu ne seras pas bloqué dans un coin.

[illegible]IL : L[illegible]LIM[illegible]

Il y a trois tailles de slime : grand, moyen et petit. Plus ils sont gros et plus ils ont de points de santé. Ils voient à travers les blocs, s'approchent de toi en sautillant et te frappent jusqu'à te tuer.

Les slimes gros et moyens peuvent te faire pas mal de tort. Les plus petits peuvent seulement te pousser d'une falaise ou dans de la lave. Ils font des bruits de claques. À leur mort, ils se morcellent en slimes plus petits, sauf les minuscules qui meurent pour de bon en laissant des boules de slime.

Ils naissent en profondeur, en dessous du niveau 40, quelle que soit la lumière, ou dans des marais où la lumière est inférieure à 9.

HOSTILITÉ

hostile

COMMENT LE TUER :

	de loin, avec un arc et des flèches		en le faisant tomber d'une falaise
	au corps à corps, avec une hache ou une épée		en le faisant sauter dans la lave
	en le faisant sauter dans un cactus		

À SAVOIR : dès qu'il te repère, le slime fonce sur toi quelle que soit ta direction. Tu peux donc t'en débarrasser en le conduisant vers un danger, par exemple de la lave ou une falaise.

LIBÈRE :

les petits slimes laissent de 0 à 2 boules de slime, dont tu feras de la crème de magma (potions), des pistons collants ou une laisse.

les petits slimes libèrent en mourant 1 point d'expérience, les moyens 2 points d'expérience et les gros 4 points d'expérience.

TUER UN SLIME
PAR CAPTAINSPARKLEZ

Si tu ne t'y frottes pas de trop près, ils sont relativement faciles à tuer. Mais quand tu en élimines un gros, ne reste pas à proximité, car il se divise immédiatement en plusieurs petits morceaux et tu risques de te faire submerger par le nombre de ses descendants. Comme seuls les gros peuvent vraiment te massacrer, commence par détruire ceux-ci de loin et, en gardant tes distances, liquide méthodiquement les autres.

[illegible] 11 : L[illegible]

Les sorcières sont extrêmement dangereuses. Elles lancent des potions volatiles sur les joueurs et, astucieusement, boivent des potions pour se protéger. C'est le seul monstre qui peut se soigner, en dehors des boss.

Quand elles subissent des dégâts elles boivent une potion de soin, quand elles sont enflammées c'est une potion de résistance au feu, quand elles sont submergées c'est une potion d'apnée et quand elles sont loin de toi elles boivent une potion de vitesse.

Tu penses que ça ne peut pas être pire? Mauvaise nouvelle, les sorcières ne craignent pas non plus la lumière du soleil.

Elles apparaissent dans le monde principal quand la luminosité est en dessous de 7, souvent dans leurs cabanes dans les marais.

À SAVOIR : les sorcières sont les seuls monstres silencieux. Tu ne les entends même pas arriver.

hostile

ASTUCE : les sorcières ne peuvent pas attaquer quand elles se soignent, prends donc l'avantage quand elles boivent des potions défensives en leur infligeant des coups supplémentaires.

ARMES :

LIBÈRE :

- bouteilles en verre
- poudre de luminite
- poudre à canon
- poussière de redstone
- yeux d'araignée
- bâtons
- sucre
- 5 points d'expérience

COMMENT LA TUER :

- utilise un arc pour l'abattre de loin et rester en dehors du rayon d'action de ses potions volatiles.
- frappe-la avec une épée.

C'est une bonne idée de garder un seau de lait dans ton inventaire rapide quand tu combats une sorcière. Si tu le bois, les effets des potions seront annulés.

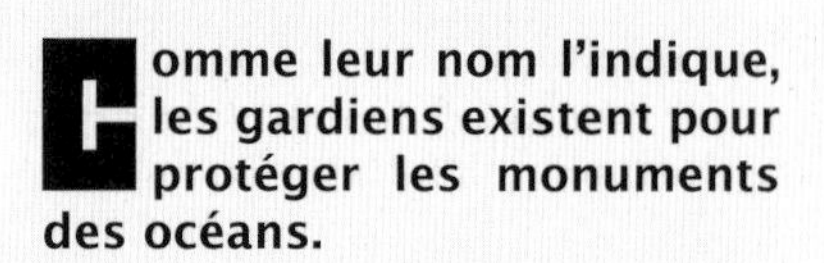

Comme leur nom l'indique, les gardiens existent pour protéger les monuments des océans.

Ils apparaissent dans les monuments des océans et peuvent être trouvés dans toutes les salles ainsi qu'à l'extérieur. Ils sont équipés de lasers pour blesser tous les intrus ainsi que les poulpes s'approchant trop près.

HOSTILITÉ

hostile

ARMES : laser et épines sur le corps

COMMENT LE TUER :

essaye de le bloquer dans un coin et frappe-le avec une épée en diamant.

utilise une canne à pêche pour le tirer hors de l'eau. Sur la terre ferme tu pourras le frapper plus facilement avec ton épée en diamant.

LIBÈRE :

	0 à 1 poisson cru
	0 à 1 cristal de prismarin
	0 à 2 éclats de prismarin
	poisson-clown
	poisson-globe
	saumon cru

À SAVOIR : tu ne pourras pas éviter le faisceau laser du gardien mais si tu es assez rapide tu pourras peut-être le bloquer avec un bloc solide.

PROFIL : L'ANCIEN GARDIEN

Les anciens gardiens sont plus forts que les gardiens et se trouvent plutôt au centre des monuments.

Contrairement aux gardiens classiques, les anciens gardiens peuvent infliger un effet de Fatigue de niveau III sur les joueurs. On a tendance à les trouver autour de la chambre centrale, celle qui renferme le trésor le plus précieux : les blocs d'or.

ARMES : laser et épines sur le corps

COMMENT LE TUER :

 essaye de le bloquer dans un coin et tape-le avec une épée en diamant.

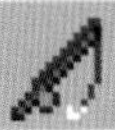 utilise une canne à pêche pour le tirer hors de l'eau. Sur la terre ferme tu pourras le frapper plus facilement avec ton épée en diamant.

ASTUCE : ne pense même pas à attaquer un ancien gardien sans armure. Ils ont 80 points de vie et un combat rapproché te sera peu favorable.

LIBÈRE :

	0 à 1 poisson cru
	0 à 1 cristal de prismarin
	0 à 2 éclats de prismarin
	poisson-clown
	poisson-globe
	saumon cru
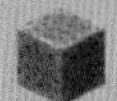	éponge mouillée quand il est tué par un joueur

CAPTAINSPARKLEZ

MON PREMIER JOUR SUR MINECRAFT

SURVIE EN SOLO

J'ai eu ma première expérience avec Minecraft pendant l'été 2010, à l'époque où le jeu en était encore à la version Alpha. C'est un ami qui m'avait branché, et j'ai débuté en mode « Créatif multijoueur » en ligne. Pendant quelques jours, j'ai ainsi fait mes premières armes, puis j'ai compris que je pouvais télécharger le mode « Survie » en solo. Comme je m'étais contenté de regarder quelques vidéos sur YouTube, je n'avais qu'une idée élémentaire de la stratégie générale du jeu : j'ai quand même décidé de me lancer.

J'ai téléchargé le jeu et créé un nouveau monde. Mon personnage s'est retrouvé quelque part à flanc de colline non loin d'une plage, dans un paysage peu boisé. Je n'avais pas la moindre idée de ce qu'il fallait faire le premier jour avant la tombée de la nuit ni de combien de temps je disposais. J'ai donc décidé de partir en exploration. Évidemment, dans mon ignorance, je m'étais trompé de priorité : j'aurais dû au plus vite couper du bois à proximité, au lieu de jouer les touristes à la recherche de l'endroit le plus approprié pour m'installer.

Au bout de 10 minutes, j'ai déniché un surplomb à mon goût et j'y ai élu domicile. Mais il ne me restait que 5 minutes de jour, et il n'y avait pas d'arbres dans le coin pour me construire ne serait-ce que quelques outils rudimentaires. J'ai paniqué :

j'avais bien trouvé un endroit idéal, mais j'ai dû l'abandonner pour chercher des arbres.

J'en ai trouvé assez vite, mais déjà la nuit tombait. Faute d'expérience, je n'ai pu me bricoler que quelques outils en bois avant qu'il ne fasse complètement noir. J'ai alors compris mon erreur. J'avais manqué de temps pour ramasser du charbon : donc je n'ai pas pu me fabriquer de torche et je n'y voyais strictement rien.

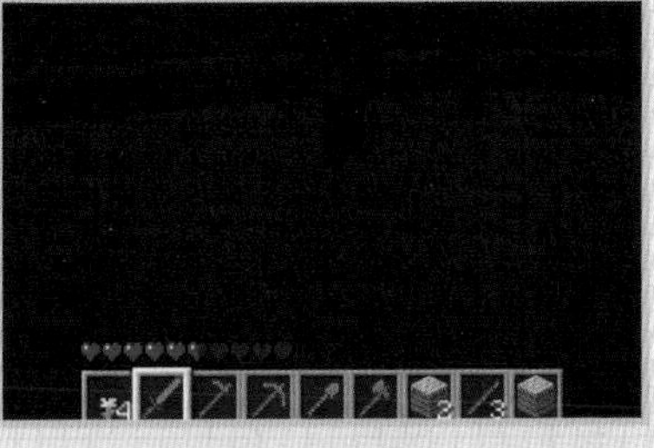

Jusqu'à la version Adventure, la nuit était complètement noire. Pas de zones de pénombre autour de moi, pas d'obscure clarté tombée des étoiles, aucun clair de lune. J'attendais impuissant, et j'ai entendu des zombies au loin. Croyant qu'ils venaient m'attaquer, j'ai marché. J'ignorais que tant que tu ne bouges pas, aucun monstre ne naît à moins de 24 blocs de toi, ni ne te poursuit quand il est plus près encore. J'ai donc aggravé mon cas.

Ma situation s'est vite dégradée. Un squelette invisible m'a transpercé d'une flèche, j'ai pris des coups d'un zombie vaguement aperçu, j'ai été attaqué par une araignée et, pour finir, j'ai entendu le chuintement d'un creeper : son explosion m'a renvoyé à mon point de départ.

Dans la version Alpha, il n'existait pas de lit. Je me suis retrouvé sur la colline près de la côte et je suis parti à la recherche de mon surplomb. Mais cette fois, je m'y suis pris autrement pour ne pas connaître la même mésaventure.

youtube.com/captainsparklez

LES 5 TRUCS
POUR AMÉLIORER SON ABRI

Quand tu as survécu plusieurs nuits, songe à améliorer ta maison. Il faut d'une part qu'elle soit assez solide pour garantir ta sécurité, et d'autre part qu'elle offre une bonne vue sur ce qui se passe à l'extérieur.

Voici 5 améliorations faciles à faire pour que ton abri d'urgence devienne un logis dont tu sois fier.

1 AGRANDIR

Fais-toi de la place soit en creusant davantage à l'arrière, soit en construisant par-devant.

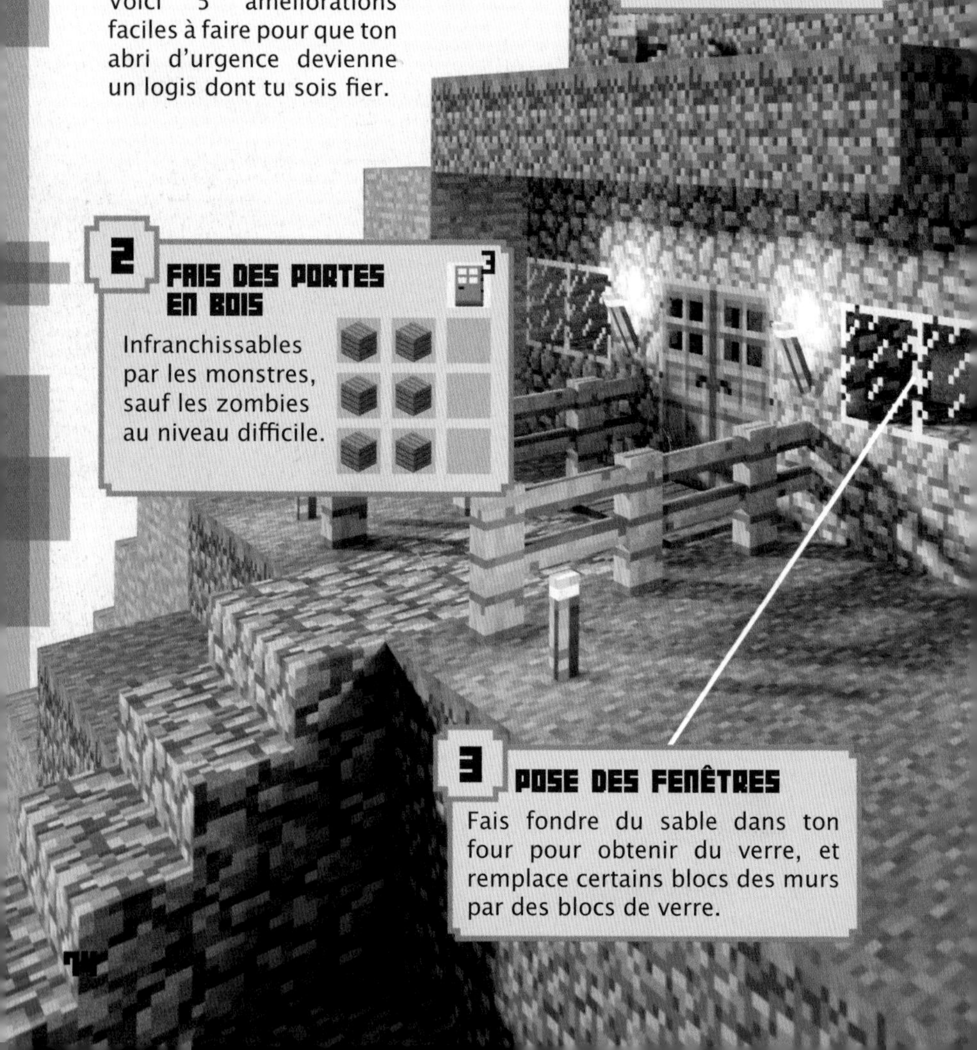

2 FAIS DES PORTES EN BOIS

Infranchissables par les monstres, sauf les zombies au niveau difficile.

3 POSE DES FENÊTRES

Fais fondre du sable dans ton four pour obtenir du verre, et remplace certains blocs des murs par des blocs de verre.

5 COMMENCE UNE MINE

Il est évident que l'accès à ta mine doit être chez toi, pour ne pas avoir à ressortir. Éclaire bien ta mine avec des torches, sans quoi les monstres y pulluleront et t'agresseront.

LE PATRON DE L'ÉCHELLE

Fabrique-toi 3 échelles avec 7 bâtons ; elles se fixent sur le côté des blocs.

4 AJOUTE DES TORCHES

À l'intérieur, elles empêchent les monstres d'apparaître et, à l'extérieur, elles t'aident à retrouver ton abri la nuit et à voir arriver les créatures hostiles qui rôdent dans les environs.

Le jardinage

Quel passe-temps agréable! Maintenant que tu es confortablement installé, fais-toi un joli jardin pour profiter des belles journées ensoleillées.

1 Le patron de la barrière

Commence par poser la clôture de ton jardin juste devant chez toi. Si un danger se présente, tu seras très vite à l'abri dans ta maison.

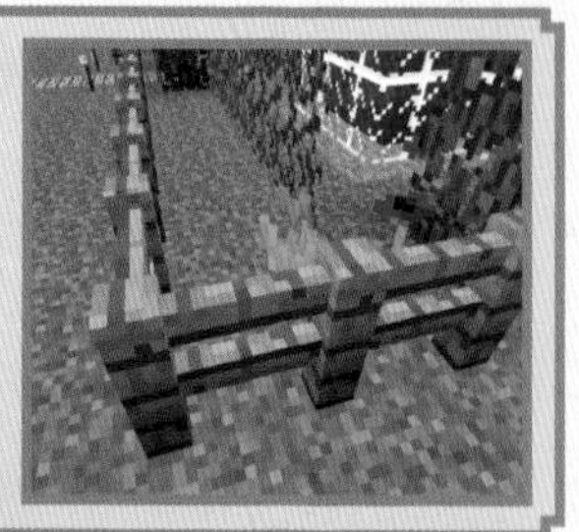

2

Trace une allée avec des planches de bois ou des dalles de pierre. Ramasse des pousses d'arbres et des fleurs et plante-les.

3

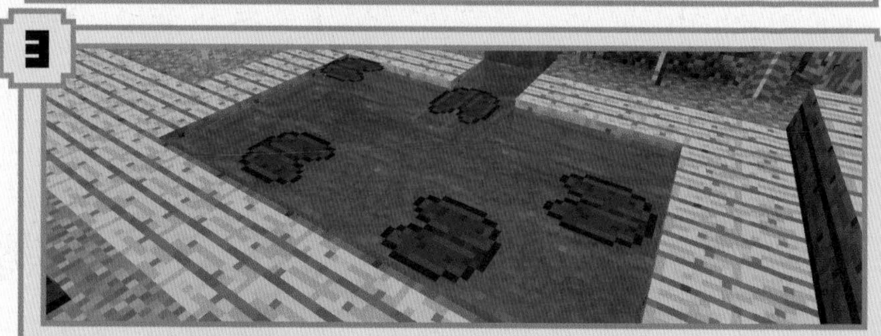

Creuse-toi un bassin, trouve de l'eau quelque part et remplis-le avec un seau. Mets-y quelques nénuphars si tu en trouves.

LE PATRON DU BANC

Fabrique-toi un banc avec des blocs d'escalier en bois (à partir de planches de bois). Installe-le dans un coin tranquille. Tu ne pourras pas t'y asseoir mais ça fera joli dans ton jardin.

Avec un peu de temps et de pratique, tu peux te faire un jardin comme ça !

MON PREMIER JARDIN
PAR PAUL SOARES JR

À l'époque lointaine de la version Alpha, les multiples options paysagères n'existaient pas. À présent, les jardiniers disposent de pots de fleurs, de haies, de dalles de couleur, de puits en pierre, de marches moussues, de nénuphars, de fougères, de vignes vierges, d'herbes hautes, etc. !

Mon premier jardin était bien banal : une allée de gravier, quelques massifs de fleurs rouges et jaunes, et une barrière en bois autour. Mais j'en étais fier. J'ignore si mes voisins partageaient mon enthousiasme. En fait, ils avaient plutôt envie de le raser, mais vous connaissez les creepers… En fin de compte, mes voisins ont eu ce qu'ils désiraient : mon jardin a été transformé en un immense cratère. Tant mieux après tout…

Morale ? Voir le positif en toute chose, même dans le cratère laissé par un creeper.

L'AGRICULTURE

Tu as intérêt à avoir une source sûre de nourriture près de ta maison. Crée une ferme dès que possible, cela te facilitera la vie. Plante du blé, des melons, des citrouilles, des carottes et des pommes de terre : la terre est très fertile.

L'EXEMPLE DU BLÉ

1

Tu as d'abord besoin de grains de blé. Cherche des hautes herbes et détruis-les. Tu ramasseras de 0 à 1 grain à semer.

À SAVOIR

Tu peux aussi obtenir de 0 à 3 grains en récoltant le blé mûr d'un village.

LE PATRON DE LA HOUE

Laboure quelques blocs de terre pour en faire de la terre arable. Il te suffit pour cela d'une houe en bois.

3

Si tu veux irriguer, creuse plusieurs tranchées larges d'un bloc, espacées d'un bloc de terre. Remplis les tranchées d'eau avec un seau. Puis laboure les bandes de terre à la houe.

4

Sème tes grains de blé sur la terre labourée. Clôture le tout.

5

Le blé pousse en 8 étapes. Tu peux le récolter n'importe quand avec un outil, mais tu n'en tireras des gerbes qu'au dernier stade de maturité. Tu peux en nourrir des animaux (voir double page suivante) ou en faire du pain, des gâteaux et des cookies (regarde p. 37). Mmm !

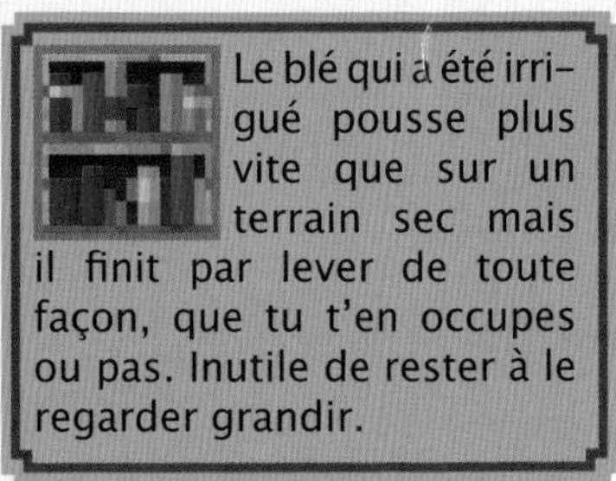

Le blé qui a été irrigué pousse plus vite que sur un terrain sec mais il finit par lever de toute façon, que tu t'en occupes ou pas. Inutile de rester à le regarder grandir.

PRODUCTION D'ENGRAIS

En apportant de l'engrais à tes cultures, elles atteignent plus rapidement la maturité. Fais de l'engrais en mettant sur ton établi un ou plusieurs os de squelette.

ASTUCE

Accélère la croissance des plantes en éclairant ton champ avec des torches.

Même méthode pour les pastèques, les citrouilles, les carottes et les pommes de terre que pour le blé. Plante-les, elles pousseront.

L'ÉLEVAGE

Tu peux te servir d'aliments pour encourager les animaux passifs de la même espèce à s'accoupler et faire de jolis bébés ! L'intérêt de l'élevage, c'est de ne pas épuiser d'espèces. En effet, les animaux que tu tues ne réapparaissent pas.

Déclenche la reproduction des animaux en liberté en les nourrissant. Les animaux ainsi stimulés se mettent à la recherche les uns des autres et se reconnaissent au petit cœur rouge au-dessus de leur tête.

Les deux animaux se frottent le museau et les deux cœurs rouges restent apparents. Quand les amoureux se séparent, un adorable petit apparaît entre eux. C'est la vie...

Chaque espèce animale est attirée par un aliment particulier, ou plusieurs, et, en général, par aucun autre.

À SAVOIR : s'il te prend l'envie de teindre un mouton avant l'accouplement, il aura un petit de la couleur d'un des parents, ou d'un mélange des 2. Tu les distingueras ainsi des autres animaux en liberté.

Le bleu et le rose ne se mêlent pas, mais le rouge et le jaune donnent de l'orange.

Le petit suit ses parents 20 minutes – un jour complet sur Minecraft – puis il s'émancipe et part de son côté.

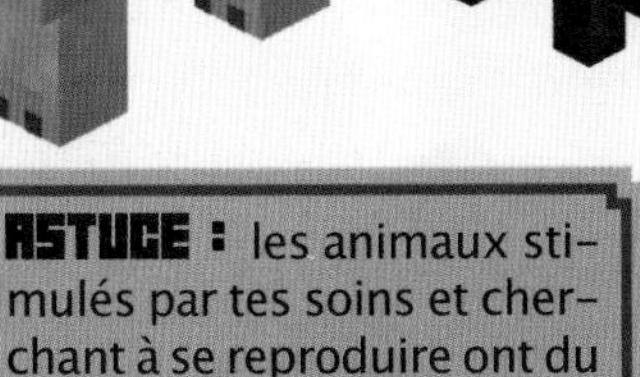

ASTUCE : les animaux stimulés par tes soins et cherchant à se reproduire ont du mal à se rencontrer à l'état sauvage. Pour les aider, construis un enclos et place-les à l'intérieur. La nature fera le reste...

Un animal a eu un petit ? Cinq minutes plus tard, il peut recommencer.

L'ARMURE

Minecraft est un monde impitoyable. Heureusement, tu peux te protéger avec un casque, une cuirasse, des jambières et des bottes pour augmenter tes points de défense.

L'armure te donne une certaine protection contre de nombreux dangers, comme ceux listés ci-dessous :

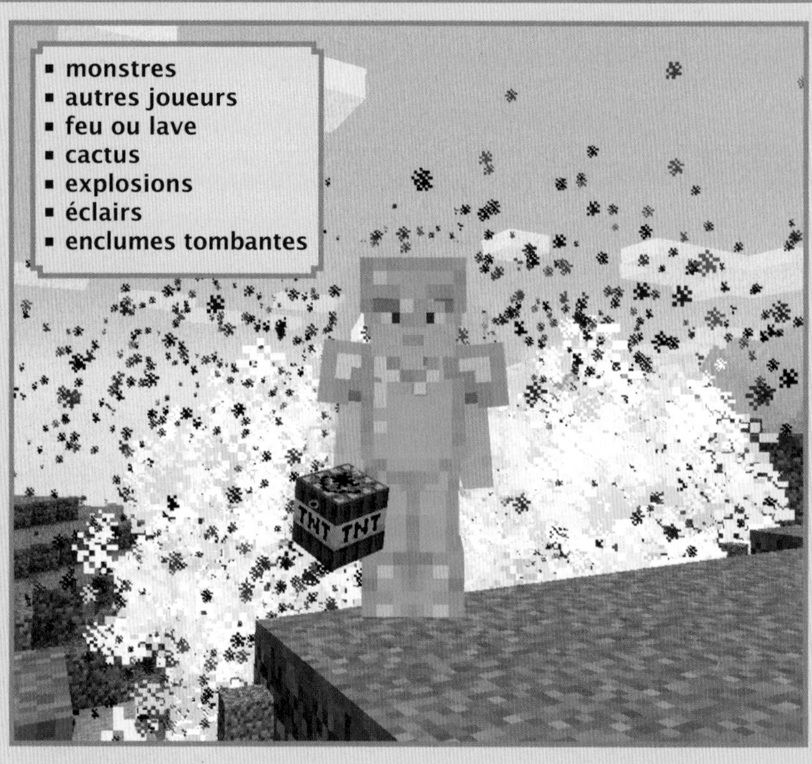

- **monstres**
- **autres joueurs**
- **feu ou lave**
- **cactus**
- **explosions**
- **éclairs**
- **enclumes tombantes**

Un joueur aguerri ne regarde pas les explosions.

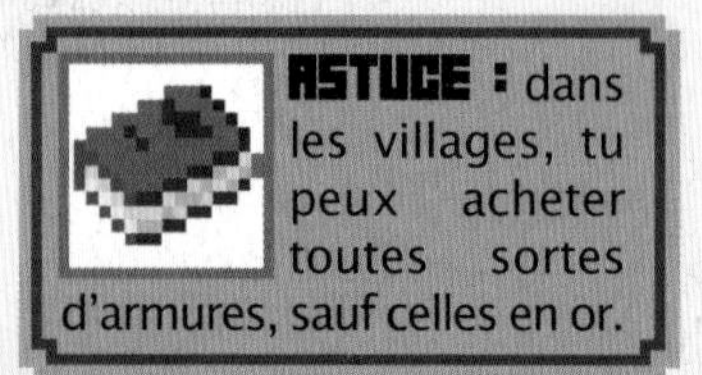

ASTUCE : dans les villages, tu peux acheter toutes sortes d'armures, sauf celles en or.

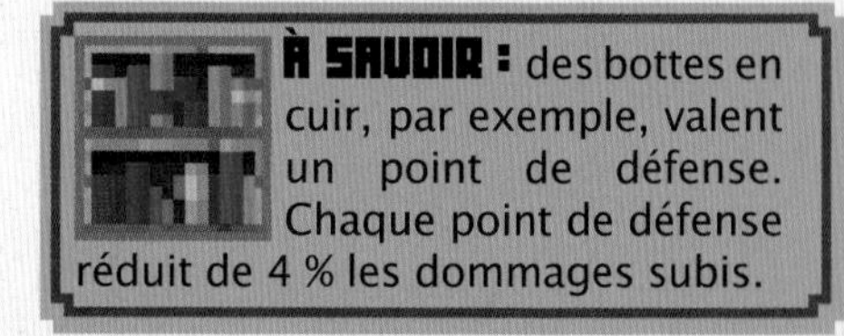

À SAVOIR : des bottes en cuir, par exemple, valent un point de défense. Chaque point de défense réduit de 4 % les dommages subis.

LES TYPES D'ARMURES

Une armure peut être en cuir, en fer, en or ou en diamant. Chaque matériau offre un niveau différent de protection ; au bas de l'échelle, le cuir ne protège pas contre grand-chose, le diamant en revanche est le plus efficace.

FABRIQUER UNE ARMURE

Il te faut 24 lingots d'un minerai pour te protéger intégralement de la tête aux pieds. Prenons l'exemple du fer.

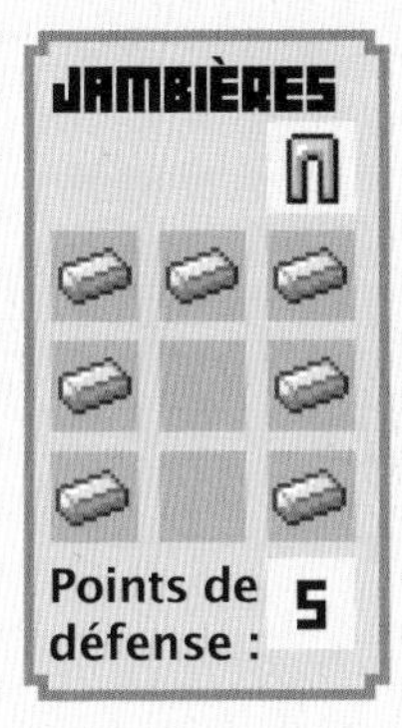

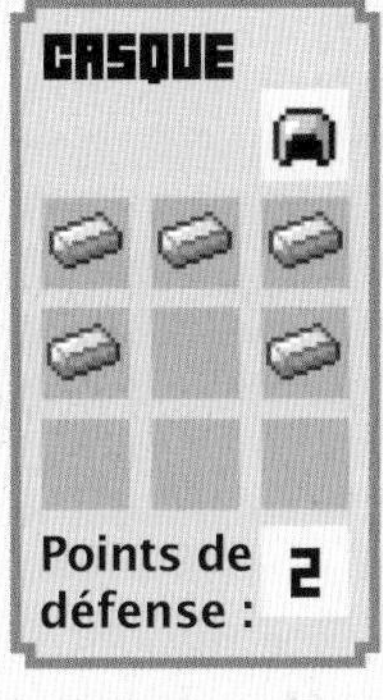

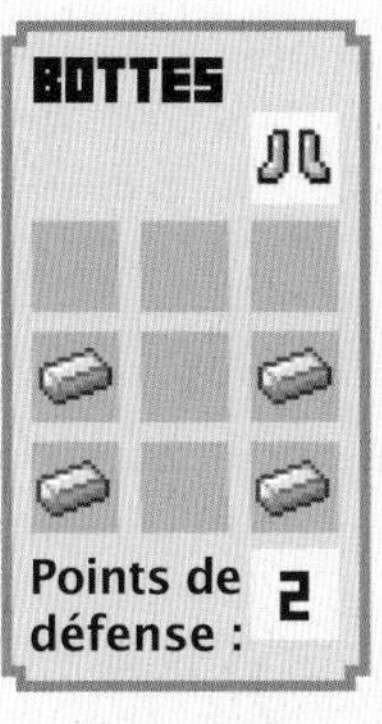

Dans l'angle supérieur gauche de ton inventaire, il y a 4 carreaux d'armure. Glisse ton armure terminée dans le bon carreau et elle apparaîtra sur ton corps. Souviens-toi : quand l'armure prend des coups, elle s'use. Quand elle est complètement usée, elle disparaît et il t'en faut une autre.

ASTUCE : une barre d'armure apparaît automatiquement au-dessus de ta barre de santé dès lors que tu portes un élément d'armure. Surveille son usure pour en fabriquer une nouvelle à temps.

Il existe aussi des armures en cotte de mailles, impossibles à fabriquer.

Ramasse celle que laisse tomber un monstre ou essaie d'en avoir une en faisant du troc avec des villageois.

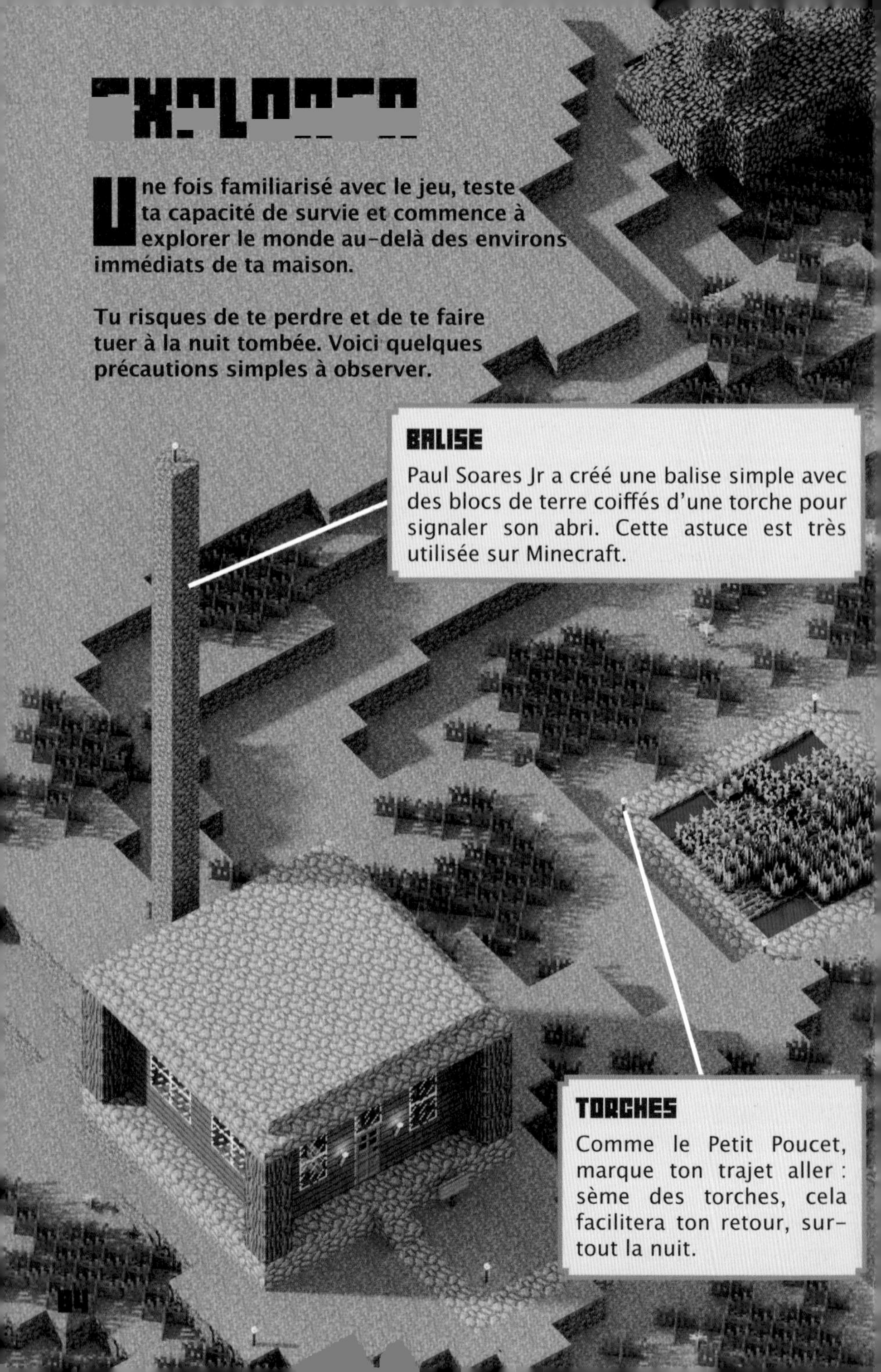

EXPLORER

Une fois familiarisé avec le jeu, teste ta capacité de survie et commence à explorer le monde au-delà des environs immédiats de ta maison.

Tu risques de te perdre et de te faire tuer à la nuit tombée. Voici quelques précautions simples à observer.

BALISE

Paul Soares Jr a créé une balise simple avec des blocs de terre coiffés d'une torche pour signaler son abri. Cette astuce est très utilisée sur Minecraft.

TORCHES

Comme le Petit Poucet, marque ton trajet aller : sème des torches, cela facilitera ton retour, surtout la nuit.

1

Pour construire ta balise, munis-toi de nombreux blocs et bâtis une tour en sautant sur place pour déposer en vitesse un bloc sous tes propres pieds. Puis recommence sur le bloc voisin et ainsi de suite jusqu'à atteindre la hauteur que tu souhaites.

2

Ensuite, pose une torche au sommet de ton édifice et redescends en creusant sous tes propres pieds jusqu'à te retrouver, de bloc en bloc, au niveau du sol.

ASTUCE : avant de partir, range dans ton coffre tes articles les plus précieux, pour qu'ils te survivent.

CONSTRUIRE UNE ROUTE

Crée une route empierrée conduisant chez toi. C'est amusant si tu aimes la construction et aussi très pratique.

CONSTRUCTION DU PANNEAU

3

Place des panneaux indicateurs : une fenêtre te permettra d'y mettre du texte, et ajoute une flèche dans la direction de ta maison.

Il existe dans Minecraft plusieurs petits objets bien connus qui permettent de s'orienter. Une boussole, une carte et une montre t'aideront à te repérer en terrain inconnu.

Le soleil et la lune se lèvent à l'est et se couchent à l'ouest : tu peux ainsi savoir dans quelle direction tu te déplaces.

LE PATRON DE LA BOUSSOLE

Faite de lingots de fer et de poudre de redstone, elle donne la direction de ton point de départ initial.

LE PATRON DE LA MONTRE

Faite de lingots d'or et de redstone, elle t'indique s'il fait nuit ou jour, même si tu es sous terre.

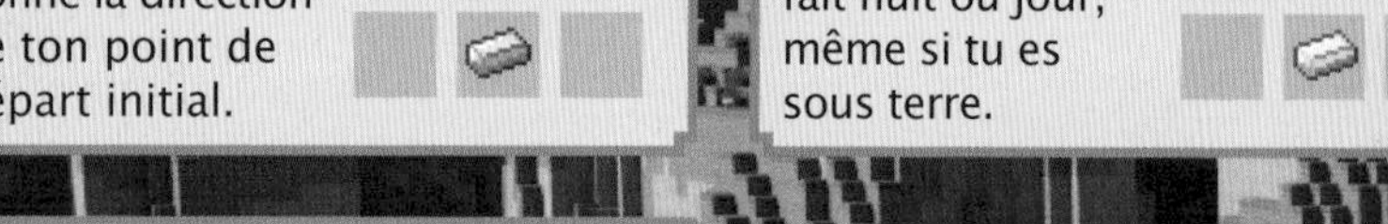

QUE PRENDRE AVEC TOI :

	beaucoup de nourriture
	beaucoup d'armes
	autant de torches que possible
	un lit. Si tu te couches dans un endroit sécurisé, tu te réveilleras au début du jour suivant. Les monstres ne t'auront même pas vu !

ASTUCE

Quand tu observes un paysage du haut d'une falaise, le danger est évident : regarde p. 14 à 17 pour savoir comment éviter de tomber.

LE PATRON DE LA CARTE

Avec du papier et une boussole, fais-toi une carte qui te permettra de t'orienter et de retrouver le chemin de ton abri.

Le monde de Minecraft n'a pas de limites ! En construisant un réseau de voies ferrées, tu raccourciras la durée de tes trajets, tu transporteras plein de choses et tu exploreras plus facilement ton environnement.

LE PATRON DES RAILS

16

Avec des bâtons et des lingots de fer tu fabriques

un groupe de 16 rails. Quand tu en auras suffisamment, place-les sur le sol et ils se raccorderont automatiquement pour créer une voie ferrée. Et figure-toi que ça marche même en cas de changement de direction ou de niveau !

LE PATRON DU WAGONNET

Fonds 5 blocs de minerai de fer dans ton four pour obtenir 5 lingots qui suffisent à faire un wagonnet.

Pose-le sur les rails et pousse-le dans la direction où tu vas, avant de sauter à l'intérieur quand tu atteins une vitesse suffisante. Place le départ de ta voie en haut d'une pente pour qu'elle donne de l'élan à ton wagonnet.

À SAVOIR : il y a souvent des rails dans les mines abandonnées. Ramasse-les et rapporte-les à la surface pour construire ton propre réseau ferré.

LE PATRON DU WAGONNET DE STOCKAGE

Fabrique un wagonnet de stockage avec un wagon et un coffre.

LE PATRON DU WAGONNET MOTORISÉ

Fabrique un wagonnet motorisé avec un wagonnet et un four.

Une fois que tu as construit ce wagonnet, construis un autre wagonnet pour toi ou un wagonnet de stockage pour ton matériel. Place-le devant le wagonnet motorisé, et celui-ci poussera tout le convoi.

Avec un wagonnet et des rails, tu peux faire des montagnes russes.

INTERVIEW EXCLUSIVE
DE NOTCH ET JEB

Ils ont beau être tous les deux importants et très occupés, ils ont accepté de nous accorder une interview exclusive pour nous parler de Minecraft.

C'est pour eux l'occasion de nous dire comment ils ont créé le jeu vidéo le plus populaire aujourd'hui.

IL FALLAIT EN CONNAÎTRE DES CHOSES POUR CRÉER MINECRAFT?

Je fais de la programmation depuis l'enfance. J'ai continué parce que ça m'amuse. J'avais un Commodore 128 que je programmais en BASIC, j'aimais créer des jeux et me faire des amis. Nous nous aidions mutuellement à apprendre et à développer, juste pour le plaisir. La création de Minecraft faisait partie de mes loisirs.

J'ai commencé en modifiant des codes simples en Qbasic sur un PC sous Windows 3.1. J'ai surtout appris en programmant un maximum. J'ai débuté à 11 ou 12 ans, et j'ai commencé à faire des choses utiles vers 17 ou 18 ans. J'ai compris que je pouvais créer mes propres jeux au lieu de modifier les exemples des autres. À l'époque, Internet n'avait pas encore décollé, alors j'ai acheté des livres et j'ai progressé en saisissant moi-même au clavier des pages et des pages de code! C'est ainsi que je me suis fait mon expérience.

NOTCH, QU'EST-CE QUE TU PRÉFÈRES DANS MINECRAFT?

Le fait que le monde est illimité est amusant, mais il y a aussi la redstone qui te permet de programmer toi-même sans quitter le jeu. Le premier ordinateur m'a épaté. Certains ont réalisé des trucs super dans Minecraft, comme «La chasse au canard». Quelqu'un a recréé de A à Z «Team Fortress 2» avec de la redstone sur un serveur Minecraft Vanilla!

JEB, TU ES L'AUTEUR D'UN TAS DE NOUVEAUTÉS DANS MINECRAFT. QUEL EST TA PRÉFÉRÉE?

Les structures aléatoires, par exemple les forteresses de surface et du Nether : c'était un projet très ambitieux. Quand il génère ces entités, le jeu ignore le contexte du terrain. Il fait ses hypothèses automatiquement, ce qui peut donner des ravins au milieu d'un village, ou des villages à moitié submergés.

NOTCH, DE QUOI ES-TU LE PLUS FIER DANS MINECRAFT?

Le monde infini a été très difficile à concevoir. Il se génère de façon pseudoaléatoire, c'est-à-dire aléatoire en quelque sorte, mais toujours pareil si tu pars de la même routine initiale. Il faut qu'il crée le même terrain quel que soit le côté par lequel on arrive et qu'il reboucle sur lui-même sans rupture. Ça a été très compliqué, d'autant plus que c'est intervenu à un stade déjà avancé du développement.

Je crois que Jeb a un grand talent pour créer des structures générées par une procédure, par exemple les villages, les forteresses du Nether et les mines. Il arrive à les faire percevoir comme des aventures. J'adore la façon dont il a organisé son développement.

JEB, DE QUOI ES-TU LE PLUS FIER DANS MINECRAFT?

Ce qui m'épate le plus, c'est la façon dont les gens se sont mis ensemble pour développer des projets plus importants et s'amuser ensemble. Ça, c'est Notch qui l'a créé.

INTERVIEW ... (SUITE)

AVAIS-TU PRÉVU LE SUCCÈS DE MINECRAFT ?

Non ! J'ai trouvé que le jeu était amusant mais je pensais au début y travailler six mois, le vendre et gagner assez pour créer d'autres jeux. Et ainsi de suite. J'imaginais que Minecraft me permettrait de financer un ou deux autres jeux, mais à présent, il est devenu une véritable entreprise en soi car il s'est enrichi jusqu'à devenir presque méconnaissable. Je n'avais pas prévu une telle croissance.

Pas vraiment. Quand j'ai commencé à travailler sur Minecraft, il y avait déjà 700 000 exemplaires vendus. Et nous étions encore au stade Alpha, sur le point de passer en Bêta. Nous pensions qu'une fois en Bêta et le jeu vendu à son prix définitif, les ventes diminueraient, nous finirions le jeu et lancerions autre chose. Les ventes ont diminué une semaine ou deux, mais c'était juste parce que l'on vendait beaucoup d'Alpha à l'approche du changement de prix. Maintenant, les ventes sont stables à 10 000 exemplaires par jour.

ET À QUOI ATTRIBUES-TU L'ÉNORME SUCCÈS DE MINECRAFT ?

Je n'en sais rien ! Peut-être que la simplicité du graphisme le rend plus universel. Dans les jeux réalistes sur le plan graphique, il faut trouver un marché adapté. Mais si tu as un graphisme et des règles simples, tu peux le rendre complexe si tu veux, mais, à la base, le fait de ramasser des blocs et de les placer est plus universel que les autres jeux.

Au début, tu tâtonnes et tu fais des essais un peu au hasard. Tu te dis : je vais construire le plus gros bâtiment jamais créé ! Et tu passes un temps fou à faire ça, puis tu te rends compte que tout le monde fait pareil !

Minecraft donne aux gens la capacité de développer quelque chose à partir de leur imagination. Quand tu crées, tu as l'impression que tu vis dans ce monde-là. Il semble réel. Et le fait de partager l'expérience avec d'autres l'améliore.

Pont fortifié réalisé par le groupe de constructeurs FyreUK.

QUE REPRÉSENTE MINECRAFT POUR TOI? EST-CE PLUS QU'UN JEU?

Absolument! Ce que je vois dans Minecraft, c'est sa communauté, plus qu'un jeu. Quand tu vas sur YouTube, Twich.tv, les blogues et les forums, il y a tellement de contenus créés par la communauté! Les passionnés en parlent et regardent ce que font les autres. C'est probablement une des communautés de jeux les plus étonnantes que j'ai jamais vues.

Oui. Quand je vois des jeunes jouer avec Minecraft, je comprends que c'est aussi un outil d'apprentissage. Il a un impact culturel : la tête du creeper, les livres, les documentaires, et bien sûr, il y a Block by Block, le projet d'habitat de l'ONU. (Voir le site blockbyblock.org)

L T

Minecraft enregistre tes succès pendant que tu joues. Une fenêtre apparaît quelques instants dans le coin de ton écran quand tu franchis une étape importante.

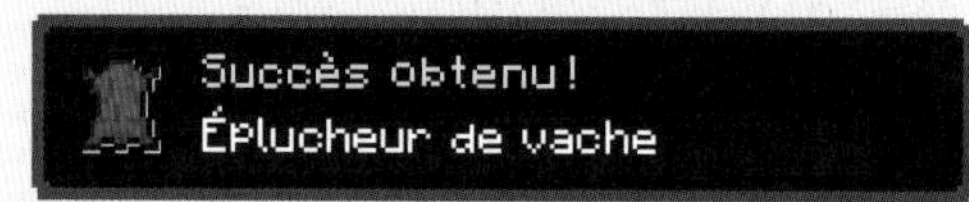

Voici 10 trophées à rechercher les premiers jours :

COUPONS DU BOIS!
Frappe un arbre jusqu'à obtenir un bloc de bois.

AU TRAVAIL!
Fais-toi un établi avec 4 planches.

BONNE PIOCHE!
Deux bâtons et 3 planches donnent une pioche en bois.

AU FOURNEAU!
Avec 8 blocs de pierre, fais un four.

L'ÂGE DU FER
Fais fondre du minerai de fer dans ton four pour avoir un lingot de fer.

PLANTER DES CHOUX!
Fais-toi une houe en bois avec 2 bâtons et 2 planches.

QUALITÉ SUPÉRIEURE!
Améliore ta pioche en bois, fais-en une pioche en fer.

À L'ATTAQUE!
Avec un bâton et 2 planches, fais-toi une épée en bois.

CHASSEUR DE MONSTRES
Bats-toi et tue un monstre hostile.

ÉPLUCHEUR DE VACHE
Soulage une vache de son cuir. Pauvre bête!

[illegible] LIENS UTILES

Félicitations : te voilà à la fin de ce manuel pour tes premiers pas dans Minecraft. À présent, tu n'es plus un débutant, tu vas vraiment pouvoir t'amuser.

Consulte les sites ci-dessous. Ils t'aideront à progresser.

Le wiki Minecraft en français
www.minecraft-fr.gamepedia.com/

Site officiel Mojang
www.mojang.com

La page officielle Facebook
www.facebook.com/minecraft

La chaîne YouTube de l'équipe Mojang
www.youtube.com/teammojang

La page officielle Twitter de Notch
https://twitter.com/notch

La page officielle Twitter de Jeb
https://twitter.com/jeb_

La page officielle Twitter de Minecraft
https://twitter.com/mojang

Voici quelques autres sites mais non vérifiés par Mojang.
Ils sont donc sans garantie !

La communauté Créative des fans de Minecraft
www.planetminecraft.com

Le Skindex, le chic Minecraft
www.minecraftskins.com

Des packs de textures
www.minecrafttexturepacks.com

Minecraft sur Reddit
www.reddit.com/r/Minecraft/

La chaîne YouTube de Paul Soares Jr
www.youtube.com/paulsoaresjr

La chaîne YouTube de CaptainSparklez
www.youtube.com/captainsparklez

(voir p. 2 nos recommandations pour la sécurité des enfants sur Internet)